ちくま文庫

味覚日乗

辰巳芳子

筑摩書房

五目ずし　p. 34

あさりの清汁　p. 46

玉子の心臓焼きをつくっているところ　p. 49

「わかめ簞笥」。あぶった葉が湿りを帯びぬよう道具の下部にほたる火を置き、上部の引き出しにあぶっためのはを置き、食膳に供したもの　p. 51

辰巳邸のしだれ桜　p. 54

絹莢のバタ炒め　p. 78

浄明寺の谷戸にて梅を干す　p. 85

美味上等の冷酒は、貧乏徳利に酒を入れ75℃に熱燗。
密封して、急遽氷桶で冷やしきって作る　p. 87

なまり節　p. 92

夏野菜と大ぶりのビフテキのバーベキュー　p. 124

冷茶二種と煮梅　p. 126

アップルジェリー

加賀風おにえずし

茗荷と穂紫蘇のおろし和え。醤油つぎは魯山人の作　p. 134

ふろふき大根　p. 193

柚子味噌　p. 195

テリーヌ・ド・ヴォライユ　p. 198

金柑を炊く　p. 200

牛すじ肉と香り野菜の横どりなべ。「横どりなべ」とは、ワン公用の上前をはねるところから名づけた　p. 203

大根の甘酢漬け。5ミリ厚さに切り、皿に渦巻き形に並べて洋風客料理に　p. 205

目次

春の章

秋の章

冬の章

写真　後　勝彦（4〜8、10〜13、15〜21頁）
小林庸浩（3、9、14、22頁）
『辰巳芳子の旬を味わう―いのちを養う家庭料理』NHK出版　より

味覚日乗

春の章

行事によせて

「雛祭り」それは心のふかみに、ぼんぼりで照らし出されるように、私を慈しんでくださった人々の顔がよみがえる旬日です。

語りつがれた女の子の幸せを願って、昔の人達はなんとまめやかに立ち働いたことでしょう。

冷たい納戸から雛段を出して組み、赤い布をかけ、小さな人形や道具を飾る。片付けは飾る手間の三倍程かかりますのに、言葉にも動きにも、「だから止めておきましょう」はありませんでした。

ご馳走は、毎年きまって五目ずし、貝のぬた、美味しい清汁、むし鰈《がれい》の焼きもの。

お菓子は雛あられ、桜餅。そして白酒。

五色※の座布団の並ぶ食卓に座り、白酒をまねほど盃に受け、小さな赤絵の小鉢のぬたに手をつける時、自分もお姫様になったような心地がしたものです。

馴染みの五目ずしも、その日は内側が朱塗りのお重に、形よく盛られ、なんと雅びて見えたことでしょう。

日本の年中行事は、人々の心の願いから生まれ、質素に意味深く形をととのえました。

私の内裏雛も、みづらの髪に冠はなく、静かなきめこみです。ただ「これは菅原道真よ、貴女が賢い人になるようにと思って」の母の一言が、何ものにもまさる価値を添えました。

五色の座布団も、絹でなくモスリンで、若い親の心尽くしそのものでした。

自分によきことを願う、大人達の心を子供が感じとらぬはずがあるでしょうか。


当節〝面倒くさい病〟が蔓延し、重症者も、見かけます。伝染しやすいのが悩みですが、なんとかふせいで、年中行事を商売の色にこれ以上染めず、私共の手許へかえしたほうがよいのではないでしょうか。

かたちから入って、こころをとりもどす方法もあるのです。

少しの気力で想いを手足に通わせる呼吸もこんな時、ふと身につくものです。

この頃家庭では、すしといえば手巻きずしをなさると聞きます。それは一理とうなずけます。

※中国の十干十二支に由来し、東西南北と中央を色で象徴したものです。祝い事に五色を用いるのは、宇宙と人間生活の関わりを、そのような時こそ想起させるよすがとしたのでしょうか。

なぜなら、伝統的なすしは、他の日本料理と等しく、多くが座り台所から発達しました。立ちずくめの台所で、日本料理をこなすには、それなりの段取りを工夫せぬと、無理なところが出てくるのです。

五目ずしを、私も当日一気には作りません。前日、夕食の支度がてらに、椎茸の含め煮、薄焼き玉子を焼く、でんぶを炒る、酢ばすを作るなどしておきます。食後TVを相手に海苔、紅生姜、玉子を切り、当日は椎茸の煮汁を送り使いして、かんぴょうと人参を煮、青味を用意するだけ。余力で清汁と和えものを作ります。合理化と手抜きは違うのですよね。

行事は第二の故郷。そして何方《どなた》の中にも、味にまつわる思い出は色濃く残っているようです。

摘み草

最近、野原や道端で摘み草をする人の姿を見かけなくなりました。

昔々、春休みになるとよく摘み草に連れ出されました。三月の風はいまだ冷たく風に吹かれる疲れを覚えながら、嫁菜、よもぎ、土筆《つくし》などを母が満足するまで摘みました。見分ける、さがす、辛抱強く集める。

家に帰りこれらを仕分ける、枯葉を除く、土筆のはかまをむしるなどの掃除仕事。口に入るまでのあく抜きなどなど。食べられる——楽しめるようになるまでの手間ひまの数々。ですから口に入った時は、たとえそれが黄粉をかけた草団子であっても茶の間は明るい笑い声に満ちたものです。

もとをただせば草からの御馳走ですもの、質素なものです。しかし思い返せば返すほど、筆舌につくせぬ豊かさが繰りひろげられていたと思います。

それはむろん食文化的に、そして真に教育的であったと思います。母はこれらの点を意図して、春の野に私共を誘ったわけではありません。母は東京・神田育ちでしたから、宮城のお濠端のぐるりから靖国神社にかけて、我が庭の如く遊びまわり、たんぽぽやすみれの咲くお濠の土手で摘み草の味を覚え、母親になっても春の息吹に誘われる人であったというだけのことです。

しかしそこには、風土とそこに生きる人間との根源的な出会いの場が待っていたのです。しかも仕事の後には、害を去り美味しく食べ得る手だてを尽くしてそれを味わうという……。つまり風土そのものを味わうのです。なんという印象的な一体感でしょう。風土の生理と人間の生理は、実は一つなのですし……。教育的意義に就いては、一生の幸・不幸を支配するほどの深意がひそんでいたと思います。教育学者フレーベルやモンテッソリーにこの習慣を示すことが出来たなら、一冊の本を書くことと思います。

これをお読みになり、お子さんと一緒に草団子を作ってみようと思い立って下さった方のために、申し添えておきます。団子は米の粉を用いますが、白玉粉でなさると手間いらずのお八つにすぐなります。食べ残しは汁の実にしても美味しいのです。

白玉はお求めになった袋の表示を目やすに、粉にポトポトと水を落し、でっちるのです。こねるという言葉を普通使いますが、事のついでに「でっちる」という言葉を復活させたいと思います。

この仕事は手首に近い、掌の肉の一番厚いところ、作陶家が土ねりに用いるところ、その場所の肉のあたりと力を用いタネをねることをこのように表現します。近ごろ活字になると字引きにない言葉を使わせない出版社も多いので、よい言葉がころされることもあり残念なのです。

まるめる時は両の掌を合わせ、遠心力が起こるような動きでまるめると先端はかならず突出します。これを指先で静かに押さえ、えくぼを作り、茹でるのです。つるりと召し上がれ。

白玉粉は埼玉の『種利商店』製を親の代から使っていました。鎌倉・坂ノ下の『三留商店』（０４６７―２２―００４５）にあるはずです。

ローマ回想

三月初め、風は冷たいのに、ふわっと〝鎌倉の春〟が香ることがあります。潮と土の香がひとつになったこの香りは、いつも私の想いをローマへ運びます。そこはローマ郊外のオスティア。古くはアフリカとの盛んな交易のあった港町。笠松林ごしの潮風が心地よい町。二十数年前、到着した翌朝、窓をあけ放った瞬間「おや鎌倉と同じ香り？」と別れたばかりの家が恋しかったもの。

今は鎌倉でしきりにローマを想います。私がローマへ行ったのは、カタコンベやコロセオへの憧れ半分、料理研修半分。研修は、国立の技能研修公社で受けました。この機関は他にあらゆる技術訓練部門を持っており、例えば、電気、建築、縫製など。養成の特徴は、現場を学校と考え、先生はマエストロと呼ばれる親方であるところだと思います。

コックの養成方法は、研修公社は国立であるのに、ホテルを経営し、営業という現場で、コック、ウェーター、用務員の三部門を養成していました。

百室ほどの海浜ホテル。夏は海水浴客でカフェテリアも開き、大忙し。ラテン的実践教育と申しましょうか。厨房は潮風の通う地上一階。雨天体操場程の広さ。一隅の階段教室で講義。内容は直ちに実習、勉強はみるみる美味しい昼食、夕食となりました。生徒七名程にマエストロ一名がつき、骨身惜しまず、汗水たらして指導して下さいました。一例ですが、彼らは私共の滞在した一ヶ月間、毎回つけ合わせにじゃが芋を出されましたが、手を替え品を替えその都度美味しく、しかも二度と同じものを出しませんでした。これは敬服すべきことで、彼らの実力と真心以外の何ものでもない証しだと思います。

この間、当然公社所属の実習生は私共にまじって立ち働きつつ勉強していました。ウェーターも三度三度食事を給仕頭の指図でサービスし、心得を体得していました。ルームの主任は中年の女性で、自分の名前も書けぬ人でしたが、仕事は万全で頼り甲斐があり、ぬかりない指導が出来ました。

昨今、日本にも、レストラント・ホテル学校がふえているようで、私も見学したことがあります。おそらく各種学校として、文部省規定にしばられているのでしょうが、ベッドメイキング練習用のベッドは、殺風景な部屋にたった一台、調理場、菓子部門も設備は立派でしたが、いかにせん実践場との結びつきが皆無にちかくては「使いもの」を育てようがありません。カリキュラムを構成する学校側も日々息苦しく、若者達はかけがえのない青春のエネルギーと時間を失っているように感じました。

今、日本に林立する大企業が、収益の一端を還元し、養成機関を作り、卒業と同時に「使いものになる」若者を育成なさったらいかがでしょう。松下も本田もソニーも大ホテルもその気になれば出来ることがあるはず。ホテルではコックやホテルマンなど人手不足といいますが、使いものになる人たちが激減している方が問題なのではないでしょうか。

希望のよすが

前回、「使いもの」が育ちにくい教育を書きましたが、今回は使いものが育っている例で喜びたいと思います。

ある秋、私は東京慈恵会医科大学病院にしばらく入院しました。入院に際し、お医者様には絶大なる信頼をよせていましたが、過去の経験から看護婦さんには期待を抱かないことにしていました。

しかし入院直後、「私が担当のTです。なんでもおっしゃって下さい」と丸顔、黒目勝ち、孫娘のような方がベッドサイドに立ってから、私の過去の体験に薄日がさし込んできました。はじめ私は六人部屋におり、私以外は癌の手術を受けた方、受ける方。特に窓際の一人は、終日カーテンを引き、絶えだえにか細く訴え、吐いたり、用便の世話を受けたり、清拭してもらったり。その相手はすべてうら若い人々の手で行なわれていました。「ちょっとでも食べてみましょ」と励ます声も聞こえました。夜になると、その方はベッドごと、ナースセンターの側の部屋へ移されました。部屋を替わられたと思ったら、翌朝、又窓際へもどられました。「あの方は人の中にいないと不安になられるから、昼は皆さんと一緒」という説明でした。毎日、朝に夕に、二人の手でベッドを移す、扉の際からでなく窓際——少しでも晴れやかな場所から——。

ある日、あのTさんが、私に小声で「部屋を替わりませんか」とすすめて下さいました。私は同室者に「胆石くらいでいいわね」と言われ、目をふせる一助に原稿書きに精を出していたのです。Tさんは何か感じて、個室が空いた機会をとらえてくれたのだと思います。

慈恵会医大附属看護学院は、毎年八十名程の入学者があり、三年間教育を受けます。優秀な志望者とは言え、三年の短期間に、看護に必須の患者への理解の表現、そして自己をのり越えるというどのような基礎教育をなさるのか、卒業後、彼女達を受け、言わず語らず指導される医師方も御立派に違いありません。しかし、それには受け皿が出来ていなければ。

この不思議を理解したく、学院の教育主事におたずねしてみました。枠としては、何もかも厚生省の規定通り、しかしこの規定が素晴らしい。卒後教育という制度があり、学習三千時間中、一年目は千三十五時間が実習、二年目千七百七十時間実習、その後も生涯教育の如く、個人的にも組織的にも勉強が出来るといいます。

教育内容がわかればもっと納得出来るでしょうが、時間割りからもその成長が納得出来ます。終りに病院食のことも加えておきます。

まず、熱いお茶が配られた直後、温蔵ワゴンでお膳がきます。御飯も汁も充分あたたかい。朝食のパンは日替わりで、人参入り、玉葱入り、時に全粒粉パンにチーズ。いつもあたたかい。管理栄養士様宛ラブ・レターを下膳の皿に三回しのばせたら、——胡麻よごし、酢のもの、煮豆、ミックス豆サラダ、魚料理の変化——がお膳にのりました。我が目を疑いましたが、誠意あるお返事と私は信じたい。確かな希望のようすがは、こういうところに深くあると思います。

食卓にもう一品

私がローマから帰った頃だったと思います。母は私に、「日本料理の中で世界に誇れるものは、何と思ったか」とたずねました。私は勉強の日々をふり返り、「檜舞台で恥しくないものは、地味ではあるが〝和えもの〟と思う」と、ためらわず答えました。和えものを得意中の得意とする母は、頰を紅潮させ「ほんと？　芳ちゃん」と興奮しました。

――だって、考えてみて、日本の和え衣に匹敵するフィーリングはフランス料理にないでしょう、むろん南欧にあるはずないでしょ……。酢味噌のように美味しいカクテルを食べたことある？――

私のささやかな解説に、母が愉快気にのったこと……私は母の和えものに三目も置いていましたから、事のついでに、心から母の腕前を讃美しました。

早春の蕗のとうの胡桃和えで始まる、我が家の和えもの、小鉢ものシリーズ。

芹・三ツ葉・嫁菜・菜の花・うこぎ・小蕗・あした葉。筍の木の芽和えで春を締めくくる迄、鎌倉の谷戸《やと》の摘菜で、夕食に小鉢ものが出ます。

父は歯の揃った人でしたので、根三ツ葉や嫁菜のお浸しの好きだったこと。

母は、三ツ葉のお浸しは「男の好む浸しもの」と言い、これには、煮切り酒と醬油少々と花かつおで父にすすめていました。

母が何気なく作った和えもので忘れられぬのは、防風※とゆで玉子の白身の酢味噌でした。あの時の防風は、まだほんとうのこの海の浜防風だったと思います。ゆで玉子の黄身は白味噌とすり合わせ、白身はそれとなくあられに切り、和えてくれました。薪ストーブの側で、一箸、二箸、父のお酒のお相伴をして。

この頃思い出のような防風を見ないし、わざわざ町へ出ずとも畠のものでと、今年は、菜の花とこんにゃくの辛子酢味噌をあきず食べました。こんにゃくは、細切りにし、下味をつけて炊き上げて冷蔵、酢味噌は、辛子を入れるところ迄火を通し、ねり上げて冷蔵。かいた辛子は、ラップに薄板状にのして冷凍。必要量割って使っていました。

少量だが数品欲しくなるのは、年のせいか、習慣のせいか。私がおすすめするのは、はばかられますが、日常は、このくらい合理化しないと、回転させにくいもの。

母が作った白和えは、母の著書に詳しいが、白和え、白酢和えの衣は、絹ふるいを通す

※ハマボウフウのこと。セリ科の多年草。

と、通さぬのとでは大いなる違いで、一度通したものを味わえば、通さぬものは野暮で檜舞台には出せない、ドサまわりみたいなものです。これに比べ、蕗のとうの胡桃和えは、苦なく、効果満点。喜ばぬ方はおられぬので、来年のために。蕗のとうは、出来るだけ、摘みたてを灰汁《あく》で茹でて、水にさらします。水気をしぼり、細かくきざむ。別に和胡桃を擂《す》り鉢ですり、同量の田舎味噌、好みで甘口の酒少々を加え、蕗のとうと和えます。蕗の分量は、胡桃味噌と同量程度がよいでしょう。

おつな味の横綱級かもしれません。

あさりの季節

今年はどちらの梅も殊更美しいように思います。この町の皆様は、ふと小路を流れる梅の香に迎えられることがおありのはずで、この鎌倉らしいあたり前を互いに感動したいものです。

今回は早春のそこはかとない気配に心添えし、ちょっと美味しい話を申し上げましょう。

水がぬるめばあさりの季節。幸い金沢八景の海のものを買える店もあります。そのうえすべての貝類は、脳を養い目や耳の疲れを癒すと申します。春は神経不安定の季節、自然の仕組みはなんと生きてゆきやすい方向にととのえられていることでしょう。それにすらっと乗ろうではございませんか。手近な召し上がり方は、清汁か、味噌汁。手馴れたところで、菜の花との辛子和え、卯の花炒り、深川丼でしょうか。

「あさりの干もの」を召し上がったことはおありですか？　ちゃんと作れば、あさり如きが珍肴となり、左党は日が暮れればそわそわ。ホントかな？

「ちゃんと」の始まりは、竹ヒゴを求め、すんなりしなうが如き串を作る楽しみからなのです。ヒゴの先端を串風に尖らせ、サンドペーパーでヒゴ全体をこすります。これで、焼鳥と差をつけ、時に八寸皿にもお盛りになれます。この串に軽い生姜風味の焼きあさりが仕上がり、蕗のとうの含め煮、よもぎの霞揚げを添えて一盛りにいたします。早春の一献にふさわしいような気がしてなりません。

あさりの扱いですが、ここ二十年来、貝の下拵えは念入りを旨としております。貝の汚れをざっと水洗いした後、散塩《さんえん》で貝同士をギシギシこすり合わせること数回。あさり三〇〇gに対しレモン一片分の汁をふりかけ、平鍋で酒蒸しにしてから、種々なる料理にふりあてています。

むろん清汁も、酒蒸ししたものから汁に仕立てます。昔は洗った貝を水から仕立て仕上がりに酒をさしたものでした。昔ながらの仕立て方が通用する海のものは、片手の指に入る程でしょう。

さて、干ものは酒蒸ししたものの中から、三、四十粒をむき身にし、蒸汁に生姜のしぼり汁、本みりん（白扇《はくせん》酒造）少々、香りづけ程度に醤油（玄蕃《げんば》蔵《ぐら》醤油）滴々。これに半日程浸しおきます。

これを先のヒゴ串に、行儀よく刺し、干すのです。金串二本の間隔は五、六㎝、間隔は大根などの切れ端で固定。すると二の字のバーが出来ます。この上に串をかけて干します。焼く場合もこのバーを利用します。ヒゴ串は細く、貝に火が通る前に焼け落ちます。それを防ぐには、ヒゴの両端を濡れ紙で下巻き、上巻きはアルミホイル。巻く場合は抜きやすく巻く。これで万事ＯＫ。あとは咽《のど》の鳴るのを待つばかり。七味をふっても、山椒の粉をふっても、香ばしく、旨いはずです。

蕗のとうは、是非是非灰汁で茹で、梅干しの種子を添えて炊いてくださるように。

よもぎの霞揚げは、よく水切りしたよもぎに化粧粉をふり、中温に油を熱し、よもぎを入れたら火力を下げてゆっくり揚げると、からりと揚がるものです。見なければ納得し得ぬ方法と思いますが……。

詠みものに、しじみは多々登場しても何故かあさりは見あたらないのです。どなたか詠んでやってくださいません？

感応を頼りに

読者の多くは、我が家の厚焼玉子を、本や新聞、講習会などで御存知の方が多いと思います。御存知ない方のために一言申し上げますと、十個の玉子に出汁と調味料を配合し、厚手鍋に一気に流し込み、よせ焼きにしてしまう、私が幼い日に母の手際を感嘆し「心臓焼き」と名づけた、そんな性格のものでございます。

今回はその「心臓焼き」の余談とでも申しましょうか、私にとって冥利につきる思い出を御披露してみます。

朝日新聞にこの玉子焼きを発表して、二ヶ月程たった春の朝、ききなれぬ山形なまりの電話を受けました。

「私は鶴岡に住む石塚久子と申します。新聞の玉子焼きを私も是非作りたいのです。つきましては、それを焼く、厚手鍋とはどんなものか、一度見てみたいと思い、夜汽車でやってまいりました。今、浄明寺バス停の駐在所前におります」。私は咄嗟に「喜んで、お待ちする」と返事をしましたが、山形から鍋を一目見に来る心意気にまごついていました。

程なく、玄関の上りかまちに丁寧に手をつかれたのは、八十歳前後の御高齢の方でした。「突然でおゆるし下さい。私の田舎は間もなく国鉄が廃止になります。それからでは、もうお訪ねはかなうまいと思い立ってまいりました」。手みやげのお菓子まで添えての口上でした。憧れの鍋をお見せしたり、さわらせたり、玉子焼きを焼いてみたり、食べたり。

夜行の疲れも見せず、石塚さんは、一々納得し、満足し、「では、これで、このまま山形へ帰ります」と帰ってゆかれました。

東京の親類を訪ねるついでなどでは全くなく、ひたすら「念仏講の人達にあれを作って喜んでもらいたい、ついては〝鍋を確かめたい〟」、なんという純粋でわかわかしい探究心でありましょう。そして、現代の私達がホゴのように捨ててしまった、心の態度でありましょう。一種のファンの中には、時々変わった方がおられますが、石塚さんは、至って常識家でありました。

よい料理の持つ底力もさることながら、自分の心の感応を信じられる人の幸せをつくづく思います。母が玉子焼きを、正月のだて巻き代わりに考案したのは、三十歳前後のことでした。

なぜ普通の玉子焼きのように、焼きながら卵汁を加えつつ、おいおい大きく巻くことをせず、大鍋に一気に卵汁を流し込むようにしたのか、今となってはわかりません。申し上げられるのは、一気に流し込んだために得られる効果です。鍋のふちに焼き寄せた玉子からは、出汁と調味料が滲出します。この滲出液を玉子のかたまりにかけては煮つめを繰返します。これが、独特の味わいのもとになるようです。

母も玉子に対する自分の感応を唯一の頼りに、誰に習うでもなく心臓焼きを作りました。〝感応力〟。なんと幸せな能力でしょう。

火取りわかめ

水温《ぬる》む春の渚をぴたぴた歩く。陽光に輝き、おだやかに寄せては返す波の音に誘われて歩く。と、おいおい、日常性が肩からほぐれ、潮の香に身も心もひたされてゆく。

ああ、海はいいな。昔から馴れ親しんだ海は同じ海でも一入《ひとしお》呼吸が合うようです。

葉山一色《いっしき》の海の端から長者ケ崎の先端までゆっくり歩きつつ、毎年気になることが一つ。それは、新わかめを炊く風景です。あの釜のわかめは、何時間煮たら引き揚げるのか、引き揚げる様を一度でも見たいものと、二時間以上砂浜でねばったこともありますが、人っ子一人釜場に現われませんでした。

炊いているのはわかめではないのかとも考えましたが、近くに干し場があり、乾き切らぬものがゆれていたから、やはりわかめだと思います。「新わかめは、さっと茹でて下さい」とあんなに言うのに、くたくた煮ている。だから三浦わかめは、もどすと、とろとろになるのではないでしょうか……。

日本人は貝塚が出来るほど貝を食べてきましたが、その貝に匹敵するくらい海藻も食べてきたと言います。日本近海には千種類以上もの海藻があり、この中から身体によいもの、食べよいものを選別し、巧みに利用してきました。

昆布を出汁に、天草《てんぐさ》でところ天、寒天を作るなどは、立派な食文化です。海藻食民族と言われるほど海藻を使い分けて食べてきました。昆布・あらめ・ひじき・わかめ・天草・海苔類。

今回は身近なわかめの扱いのうち、つい縁の遠くなってゆく扱いを書いてみましょう。食文化と建築様式の関わりは見逃せません。つまり、住居様式によって扱いやすい食材・料理は残り、かけがえのないものでも、扱いにくいものはすたる傾向となります。炭火――火鉢を使わなくなって、かき餅や海苔をあぶって食べることは殆どなくなりました。これと等しく、わかめを火取る――つまり火取りわかめというものは、たとえ日御崎《ひのみさき》の「めのは」がとどいても、多くの方は昔のように珍重なさらぬと思います。ガスと電気の直火で火取るという仕事は、理想的に仕上がらぬからです。

我が家では、様々の炒りもの、お茶も、麦湯用のむぎも炒ります。こうした仕事が身についており、原理が理解出来ていると、的確な応用が出来るもので、めのはあぶりは、この原理と結びつけているのです。方法は油気のない厚手鍋を弱火で熱し、これに帯状のめのはを出来るだけ原型のまま、長ければ巻くなどしてそっと置きます。めのははセロファンのように薄く品のよいわかめであるから、鍋底に接した面は、思ったより早く火が通ります。したがって、三、四分おきに位置をずらしてやります。するとついには満遍なく火が通るのです。こわさぬように食卓に持ち出し、各自、手で割っていただきます。むろん細かくして御飯にふりかけてもよいのです。わかめを煮る、汁の実になどは伝わるでしょうが、火であぶるという根源的でわかめの質感の直截的な食方法は、いよいよ残しにくくなることでしょう。

春の鍋仕立て

桜はなんと光の似合う花でしょう。いまだ風も動かぬしらじら明けに、しずまりにおう山桜。真昼の陽光にかがよう染井、八重桜。夕月を仰ぐ薄暮の空に、くれなずむしだれの優しさ。

浄明寺周辺は桜に適するのでしょうか、私の住む山ふところは、見事な大島桜の大木も育ち、この谷戸《やと》の花見を年中行事に思って下さる方々も多いのです。

私も三度の食事を紅しだれの窓辺に移し、朝に夕に、きれいきれいで始まり、きれいきれいで終ります。

世に花より団子といいますが、当節〝団子より花〟ではございませんでしょうか。

花はまさに一期一会、御馳走は何より花なのですから、食べもので気の散ることのないように。

そんな夜桜の集りのおしのぎに、春は貝の季節、小蛤の清汁を趣向をかえて、鍋仕立てにしてみたらいかがでしょう。

蛤ってふしぎにお酒が飲めるのですからね。かと申して、蛤だけでは「間《ま》」がもちませんから、よもぎ麩《ふ》、新わかめ、それに野山の香り、芹・防風・三ツ葉・木の芽などをあしらって。

花冷えに、火の色をみながら、いくらでもお代わりしていただけるように。

蛤鍋は洋風にも展開できます。セロリや、カリフラワーのポタージュを鍋にはり、蛤を沈めて炊き、パセリをふってはいただく。これに生ハムの一皿、パリッとしたサラダとチーズ。冷えたぶどう酒があれば、女性の客料理になるでしょう。

おすしは上戸にも下戸にもむくものです。中でも、巻いたものは、何かと始末がよろしい。桜に上の空でも、これなら、ついつい口に運べます。

玉子焼きは意外にお酒と相性がよいのを御存知？　親指の先ほどの酢めしと玉子焼きを桜の葉で巻いて。桜の移り香のこと、誰も何もおっしゃっては下さらないけど、ちゃんと感じて下さるものです。

うどの胡麻酢は、ちょっとこっくりめで、さっぱり献立のつなぎ役です。

このような鍋を用いた形式のもの、鍋ものとはいわず、鍋仕立てというべきものを、もてなしにも、日常にも自在に、食卓に配して下さると、労力・神経・経済・効果、何につけ一息つけます。

この例は、ごく日常的な汁もの、椀ものを発想を拡げ、位置づけしなおしてみただけのことです。習慣の見直しをおすすめしたく、鍋仕立てをとり上げてみました。

鍋仕立ての解釈は色々ありそうですが、通常「椀盛・清汁・味噌汁」としていただくものを、少々発想を展開させ、汁と主菜をかねた性格をもたせてしまうのです。

花の季節が過ぎれば、鍋はお片付けになると思いますが、時がめぐってまいりましたらなんでもないものを鍋仕立てになさり、効果を味わってごらん下さいませ。一例ですが、ある時丁寧に包丁した大根の千六本のふくさ味噌仕立て（やや薄め）、これをベースに、ある時は芋の類、ある時は、麩の類・豆腐の類・餅の類（油で揚げた）と、手際よくあたため、薬味を替えてはいただく。

若者が仲間入りする場合は、鶏もものぶつ切りを加えてもよく。

食習慣の展開は、古着のリフォームとは全く異なり、時代的意味やら、発見やら。

とにかく、頭はしなやかに使いたいと思います。

文化の根

桜にお別れが近づくと、いつとはなしに、日本の春の〝つま・けん・吸口〟といった薬味の季節がめぐってまいります。

山椒の枯木のような枝には、とげのように小さく、赤味を帯びた芽ざし。紫蘇や蓼《たで》の細かい双葉、山三ツ葉は絹針のような一cm程の軸に、ちんまり一枚、それでも一人前の三ツ葉。

山椒は別ながら、他は種子は採らず播かず、時に、秋はすっかり畠地を天地返ししてしまうこともあり、我ながら、こんなことをしてしまって、何十年もつき合ってきた家の薬味達を失ってしまうのではと、不安になることさえあるのです。しかし、あの極小の種子に、どんな力が宿っているのでしょう。春には約束たがえず、びっしり芽を出します。

〝ああ、よかった〟という安堵は、単にこれらの植物を惜しむ心のみではないようです。なつかしい思い出の数々を、紫蘇や蓼を絆に大切にしているようです。

母が以前書き残したものに、蓼は、友人からいただいて四十年とあります。これで数えると、庭の蓼は六十年私共の暮らしに寄り添っていることになります。

薬味類を扱っていると、やはり香り好きだった祖父、柚子の季節ならば、へぎ柚子一片盃の底に沈め、晩酌を楽しむ様子、祖父の習慣をよくわきまえ、料理に合わせ、おろし生姜、溶き辛子、わさび、山椒、葱など、忘れず食卓に用意した、年若い〝じいや〟と呼んだお手伝いの顔形迄思い出します。

父は、母のお蔭で、毎日五種類程の酒肴を天然現象にした幸せな人でした。田楽の木の芽、柚子の吸口。「ああ旨い。お代わりある？」。さながら春が来れば、秋は来るもの、めずらしい殿様ぶりだったと思います。まあ、ともあれ、家中揃って、薬味のかかせぬ日々でした。私も、季節の薬味が欠落していると、掛けもののかかっておらぬ、からっぽの床の間を前にしているような心地になるのです。

この頃ハーブが賑やかです。夢見心地に香る植物の四分の一程は湿度が苦手です。しかし、山椒の木が庭に一本あるならば、芽ざし、花、実と春から秋迄、静かに楽しく使えます。胡椒の木を庭に持ち、葉、花、実に亘る微妙な香りと味の変化を、テーブルに出せる異国の人々の暮らしを聞いたことがありません。

レモンを花から熟しきる迄使うやさしさも聞いたことがありません。

私共は庭前の柚子、花や外皮を吸口に、色づけば、果汁はもとより、柚子釜、お風呂に入れるところ迄使います。

花も青柚子も、摘果の必要から始まることですが、後始末が賢いではありませんか。国々の文化の根は、こうした至って日常的に見えながら深遠な〝らしさ〟の中に深く根ざし育つと考えます。私達は、つまるところ掌中のもののみが、確かに己のものになり得ることを、より心に銘記すべきなのではないでしょうか。

春は蕾御飯を

今回は「なんでもないのに、病みつきになる程美味しいものの話」をいたします。

私はお菜類の蕾《つぼみ》の季節が来ると、なにかと蕾の類を食卓に添えますが、中で大好物は「蕾御飯」とでも言いますか、いわば小丼もので、料理という程のものでなく、一種の食べ方の類かもしれませんが、美味しい蕾を育てては春の最大の御馳走にしています。蕾御飯に一番適しているのは、油菜の蕾だけれど、他に小松菜・大根・しん摘み菜・パクチョイなど。

蕾を育てるには、間引き菜をサラダで珍重したあと、育った菜は引き抜いては使わない、葉は畝を往復し、外葉外葉を摘んでは食べてゆきます。やがて薹《とう》が立ち芯の中心に蕾が頭を見せはじめます。今年はその頃、きぶしがゆれ、こぶしが咲きはじめていました。

〃なんてたって、一番蕾が一番美味しいんだから、お米は新潟のを炊こう、油は、エル・ガルーニヤ※にまさるものはないだろうな。お醤油？　今年は玄蕃蔵があるじゃない、何時頃摘めるかな、誰と食べようかな〃

いよいよ摘む時は二番蕾を傷めぬよう、やわらかい茎もつけて摘みます。摘むのは食事支度の寸前に。お膳立てもすませ、御飯を蒸らす段階になったら、洗い、よく水切りした蕾をテフロンの鍋に、上からエル・ガルーニヤをふりかけて炒めます。こうするのは、せっかくの油を傷めつけぬためです。菜が香るようになったら、二級酒をふり、玄蕃蔵とからめて終り。あつあつの御飯は、あたためた抹茶茶碗に。蕾の鮮やかな濃緑《のうりょく》をこんもり盛ります。大抵一口食べて「おいしい～」とか「スゴイ～」のあと黙々と召し上がります。甥の一人は「おばちゃん、僕三千円出しますッ！　又お願いします」。外食費千五百円のサラリーマンの率直なる真情で、以来これを食べると三千円の人が目に浮かんで困っています。

昼食の献立なら、これに揚げ出しかふわふわ玉子。夕食なら、宍道湖《しんじこ》のしじみの味噌汁、能登の岩海苔の二杯酢わさび和え、椎茸のステーキなどあれば上機嫌。椎茸のソテーは、椎茸をわざと限界的に大きく大きく紅茶碗のソーサー以上に育て、中心は二㎝程の厚さのまま、ニンニクとオリーヴ油でソテーし、軽く白ぶどう酒をふり、塩・胡椒。弱火で、椎茸がぺろっとなる迄、四、五分煮る。あたためた皿に盛り、煮つめた煮汁をかけまわし、パセリくらいはふりかけます。白ぶどう酒とよく合うこと。このステーキを食べると、よいロース・ハムが一切れ欲しくなってしまうけど……。

蕾御飯を、〝来年〟と思って下さった方は、菜の花を鎌倉は農協市場で求められ、ちょっとちぎり直し二、三時間浸水してから炒められるとよい。

エル・ガルーニヤは超級のオリーヴ油で、聖書に出てくる傷をいやす油とは、こういう油をさすのかと思う程のもの。残念ながら生産中止になってしまいました。そのかわりに私が最近用いているのは、ウ・トラピトゥ。すずやかな油で日本食にも使いやすい。『稲垣商店』（03―3462―6676）が扱っていますが、小売りでは渋谷の東急デパート（本店・東横店）で入手できます。玄蕃蔵は、江戸好みの結構で、ヒゲタの肝煎り。蕾の効果を聞いたことはないが、植物のうら若きいのちだもの、なにかあるでしょうねえ。

※イタリア北限の陽のよくあたる、山の傾斜面に育つ、何百年も経た元気な木から採取し、中世の手法でしぼったもの。ちなみにオリーヴ油は一本の木から、二・五ℓしかとれません。そして、北の方が病虫害が少なく、消毒などせずとも育つ由です。そして、平地でとれたものより、山で育ったものを。山のものは、機械づみができないからです。

大好きなえんどう豆

晩春スィートピーの御先祖さんを思わせる豆の花が盛大に咲き揃うと、今年もと、ピース料理の数々を一気に思い出してしまいます。

空豆も大好き、けどピースはもっと好き。豆をむく時からしてよい心地。指先からこぼれはじけ出る、ひすい色のあられの音。

一人でなく、みんなでおしゃべりしながらむくと、三倍も楽しい。

ピースのように罪のない味のものは、注意深く、けどいじらない料理が美味しいと思います。昔々はピースのうすら煮とか、フランス風のペーザンヌとか、こともなげに、丼一杯用意し、御飯は半分、豆で満腹したものでしたが、今は昔の贅沢となりました。

ピース御飯や、小鉢ものでせいぜいというところでしょうか。ピース御飯はどなたでもお好きなまぜ御飯ですが、あれが奈良漬けと相性のよいのを御存知？　ピース御飯のお結び二つ三つ、上等の奈良漬け添えて、竹の皮に包み、卯の花の咲きくずれる野山を歩くって、五月の爽やかさと無駄のない弁当。よい組み合わせだナと気に入っているのですけど、いかがでしょう。肉の佃煮添えたいのが当節なんでしょうか。のれないなぁ〜。

小鉢ものでは、考案の良さに、作るたび、食べる毎に感じ入るもの、それは、関東大震災後、再興しきれなかった、鳥料理の専門店、『末広』の名物料理だったものです。

ピースのうすら煮に、鳥そぼろを添え、黄味あんをとろりとかけた小品です。ねっ、想像お出来になるでしょ。ピースはうすら甘く、ほんのり醬油味。しっとりめの鳥そぼろ、やさしい黄味あんの手を借りて、よせくるんでいただくのです。どれが出しゃばるわけでなく、一箸の中に一つの味にまとまるのです。江戸料理・鳥料理のかくれた傑作と思います。

作り方を略記しておきます。

むきたてのピース四〇〇gにひたひたの水を加え、弱火でやわらかくなる迄煮る。ここに砂糖大匙《さじ》二杯入れ、十分ほど炊いてから、醬油大匙一杯加え、炊き含める。

鶏そぼろは、鶏のひき肉（鎌倉・御成町《おなりちよう》『鳥一』で）二〇〇g、酒大匙四杯、醬油大匙二杯、水カップ半杯、砂糖大匙三杯、塩少々。そぼろを細々に作るには、決して煮立った煮汁に肉を入れてはならない。生肉に調味料と水を入れ、五本箸でよくよくきりまぜ、とろとろになったところで、中火以下の火にかけ、五本箸でまぜつつ炊き上げる。仕上がり後も冷める迄、箸を動かす。自然に上等のそぼろとなる。

黄味あんは、昆布出汁一カップ、葛大匙三杯、砂糖小匙一杯、酒大匙二杯、塩小匙半杯。以上で、あんをねる。別器に卵黄二ヶ、少々昆布出汁を落して、黄味をとかし、ここに、あんを少しずつ加えまぜ、弱火にかけ、二分程で仕上がる。小鉢にまずピース、そぼろを添え、黄味あんを半がけにして供する。

それにしてもえんどう豆は、何時、どのような経路で、私達の豆となったのでしょうか。昔の方がたに感謝感謝。

ふわふわ玉子

「忘れられてゆく料理、消えてしまいそうな食べ方を残してゆく仕事をすればいいのに」と、カメラマンの小林庸浩氏が言われました。

先夜〝カルシウムをとりましょう〟をテーマにしたテレビ番組を見ていたら、カルシウム一日必要量は六〇〇㎎、牛乳一本でカルシウムは二〇〇㎎、だから〝牛乳―乳製品〟に落着きました。そして今はまさに春、春といえば汐干狩―貝の汁―貝の飯―蒸し物と紹介していました。これらの広がりで、小松菜とあさりの辛子和え、深川丼、わかめとうどの酢のもの――こういう流れには全く至りませんでした。番組で小松菜は青菜の中でカルシウムの女王と解説し、貝の数値も言っていたのに……。貝のくせを、ピリッとおさえた、賢い食べ方、目のつけ方を讃えてもよかったのに……。

「味覚日乗」もこの辺りで、小林さんの言われた方向でお話ししてみましょう。

今回は、我が家で「ふわふわ玉子」と呼び、故辻留《つじとめ》先生は「くるくる」とお書きだった玉子の食べ方を御紹介します。

皆さま炒り玉子をお好きでいらっしゃいますね。同じ炒り玉子でも、「これは駄目だよ」とつい言いたくなる――それは味付けより、炒り過ぎの場合ではないでしょうか……。「ふわふわ玉子」は炒り玉子と同じ調味、ただ家では上質の油を玉子三ヶに大匙一杯くらい用います。戦前は専用の道具がありました。一人用、角型の蓋つき、覚えているのは黒釉で、織部に似た図柄が、斜めに画かれていました。この一人前用の器を、火鉢の火にかけた金網の上に並べ、玉子がぷーっとふくらんできた順に、ほいっと受皿の上に置いてもらったものです。そのあつあつ、炒り玉子と同じ香りのとろりとした半熟をそのままでも、又熱い御飯にこっぽり着せ、時に上からもみ海苔などものせ、「あっ、美味しい、これ大好き」と食べたものです。この好ましい器が全くなくなり、種々の玉子料理の記事にもこれは登場しません。

辻留先生のは、調味料は酒と醤油だけなのです。家のは甘味も特に油の入るところが旨味の秘訣です。二人分で、玉子三ヶ、玉子一ヶに対して赤ざらめ小匙一杯強、よい醤油小匙一杯弱、酒大匙一杯（子供用はひかえる）。三ヶに対して塩ひとつまみ、油（グレープ・シード）大匙一杯。

土鍋えらびには当惑いたしますが、いわゆる鍋焼き形なら玉子四ヶから五ヶで、三、四人分でしょうか。火にかけた玉子汁は縁からおいおい固まってきます。縁が固まるということは底も固まりつつあるということで、出来るだけさわらずに玉子に火を通したいのが本音ですから、くるっと二回程天地返しをするだけで仕上げて下さい。まぜまぜすれば炒り玉子になります。

ちょっと玉子に焦げ目がつきます。土鍋も焦げます。それが一種の風味につながり、なんともいえぬ、心から心への印象となります。

食と建築様式

無性に野菜のばらずし——五目ずしを食べたくなる時があります。握りを食べたいのとは別趣の、ふるさとを恋い慕うが如くです。

困ったことに、すし屋、料亭、名のある店のばらずしでさえ真の姿ではありません。なぜ商い筋にほんとの五目ずしが育たないのか……。おそらく「手間」という理由でしょう。手間は手間賃に関わるから……。

そうなると、逢いたさ見たさに怖さを忘れ、食べたさ食べさせたさに疲れを忘れ、と言いたいのですが、実のところ、疲れを計り……こんな思案をしてまで作ることになります。まず、二、三日前から、紅生姜、酢ばす、でんぶ。夜はテレビ相手に海苔切り。翌日は椎茸、かんぴょうを煮、煮ものの番をしながら錦糸玉子を作ります。いずれも背負い込み感がないよう、日々の台所仕事の片隅で何時とはなしにやってゆきます。

当日は、人参、三ツ葉、酢飯を用意するのみ。他の具をとり出し、共にまぜ、飾り、盛る。一点の疲れも覚えず、食卓を囲めます。

多くのご婦人方は、おそらく同様に仕事まわりをととのえておいでのことと思います。日本の包丁仕事に求められる繊細さは、他国に見られない独自のものです。擂り鉢仕事、炒りもの、ねりもの、すべて根気と丁寧。

これらの仕事をしつつ労苦の中で見え、気づいたことは、日本の食文化は日本家屋の座り台所から生まれ育った——食文化は建築様式と無縁ではないということでした。

昭和十四年から二十年まで、名古屋に住んだことがありました。新築なのに、大家さんは座り台所の様式をとり入れていました。にもかかわらず、住んでいた時はこれが座り台所とは気づかずにいました。

それは三段構え、野郎畳の茶の間につづく一段低い板の間、又一段下りてたたき。上ったり下ったり。苦にはならず、切干し大根を刻んだり、団子をこねたり、炒りものをしたり。薄い座布団の上でこれは立ち仕事では出来ない。座るから楽しくこなせると感じていました。

近年家族の人手が減り、手分けして作ることは不可能となりました。細かい準備、根気仕事が骨身にこたえる中で、名古屋の台所を思い出し、あの様式ならこんな思いはせずにすむと考えました。

たしかに昔々の母親は火を横に夫や子供らと語りつつ、足のついた俎《まないた》できりものをすめたに違いないと思います。

私の「時間差作り五目ずし」は、建築様式と家族構成の変化を段取りでこなします。思案の末の〝しのぎの術〟。食文化は、食材と人間との関わりだけで進歩発展するものではありません。したがって、家庭の食卓の豊かさも、それにたずさわる個の努力によってだけでは守り育てられません。

家庭料理を守る条件は多々ありましょうが、建築家の責任は重いのです。

現今のシステムキッチンは、西欧家具の延長としてのキッチンであり、あれほど見ては立体的、使っては平面的なものは他に無いでしょう。特に日本の食文化とは逆行型です。しのぎの術のみでは防ぎきれぬ時がかならず来るのではないでしょうか。

食文化の伝承

この春、鯛鍋で花見のお客事をしました。

私の心づもりは、家の山椒の花を鍋の仕上げにぱっと放ち、〝日本の春を満喫〟でした。大皿に、鯛、筍、わかめ、うど、よもぎ麩など。供す直前に折よく蕾をつけはじめた山椒をやれうれしやと摘み、材料の中心にふうわり盛りました。お客様方も材料を見て「まあ、花鍋」と歓声をあげられました。

鍋が進行し、花を放った瞬間から不審を感じましたが、椀を一口吸って面目を失う思いに耐えませんでした。花の香りが立たないといってもよいくらいなのです。お客様方も「あっ、この香り」と義理にもおっしゃれませんでした。

よもぎは早や十年以上も香りを失っており、春に草団子を作る意味は半減していました。今年から木の芽も……、と実に憮然たる心地がしています。山椒ほどの強い性根の植物の変化はおそらく我々への重大な合図でしょう、よもぎの段階で世に訴えるべきだったと悔やまれてなりません。

この表徴的変化は第一に地球の問題ですが、食文化の上にもいずれ大きな影響を及ぼさずにはおかぬでしょう。この春は「風土—食文化—民族性」三者の関わりを愛惜しつつ、濁流の岸辺に立つ想いでした。食文化は、あらゆる文化の母胎であります。食環境をささえる条件の変化を受けつつ、これを伝承し、時代に適合させ、よりよい形の伝統としてゆく。それは何ほどのこともないようでありながら、不断の努力を要する故に非凡の精進なのです。

食文化の日常性は、言語の日常性と類似しており、きっちりとした美意識にささえられぬとやすきにつき、みだれてゆきます。民族学者は最近の郷土食を伝承する難しさの要因として、

一、生活改善運動
二、自給自足の低下——昔は基本的に買わない生活をしており、それが土地独特の食文化を発達させた。
三、家族構成の変化——高齢者の目がなくなることによって伝承が途絶える。

四、婚姻圏の拡大
五、年中行事の均一化
などを挙げています。これらは食文化全般にも大なり小なりあてはまります。

一例ですが一の範疇に入る、電気釜の普及は、便利ではあるが「米―炊飯」の原理を知らぬ人が確実にふえています。それが何を意味するか、何を招くか、あと十年経てば何か見えてくるでしょう。

私が何にもまして、食文化の難しさを想うのは「味」というものの本質です。視覚、聴覚、触覚の文化、嗅覚に属するものでさえ今の世は形として残せますが、味覚、味―料理の味わいは、後世どころか、それを創った本人のためにさえ残すことができぬ「その時の味」なのです。

この本質を一人一人がより意識し日常茶飯のものごとと、それを取り仕切る人を大切にせねばなりません。

自覚

食文化を守り伝えることの難しさについて書いてきました。読者の中には、ではどうしたらよいというのかと、答えをお求めの方もおありでしょう。

正直いって、私に名案はありません。地道で、広く深い自覚より他に道はないと思います。自覚とは、第一に個人の自覚、次に国と社会の自覚、そして国際間の理解でありましょう。

個人の自覚は、始めであり終りであり、一番確実なよりどころですが、意識の質と量が高まらないと束にはなりません。束にならぬかぎり、歴史の中でつねに薄氷の上に置かれてしまいます。

国の自覚、政治への期待は、食糧の自給と輸入（安全な）のバランスで私共を安心させてくれること、それ以上は無理でしょう。

経済界の自覚は、商売といえども世の中への貢献を真剣に考えてほしい。これは商社と大手量販店がほんとの大人であるならば、次の世代、すなわち幼き者に対する慎みです。

大手量販店の最近のディスカウント商法はかけがえのない食材・食品を、何百年にわたり守り育ててきた人々の歴史と、その組織をおびやかしているところがあります。

食材が細れば、食文化は風前の灯です。余談かもしれませんが、甥の一人が和食料理を進路に選ぼうとした時、大賛成するはずの祖母であった私の母浜子は、「日本の食材は危い、日本料理の将来はない」と、まっ先に反対しました。二十余年前のことです。

今年は梅のなり年だといいます。鈴なりの梅を見上げ、今年も作るか作らぬか、甥と私は思案しました。つとめ人である甥の胸算用は、休日が丸つぶれになると……であり、私の内には彼が身近にいる間、最低三回同じことをくりかえし手がけさせぬと伝えるべきことは残せない、迷わずやってほしい、でした。

甥は寡欲なれど本もの好き、その延長で保存食作りを趣味にすると、梅干し、梅肉エキス、味噌、生ハムを手はじめに、糠漬けもと言っています。

二人共やりたくないが、市販に頼れる見込みのない梅肉エキスをやはり作ることになりました。土曜日に摘み、日曜日に汁をしぼり、私が煮つめました。今年は米国製のクイジナートというフードプロセッサーの力を利用しましたが、それでも十五kg近い果肉をへぎとるのは骨が折れました。

有機栽培、無農薬の梅を維持するのも一仕事。こうしてものともの事のありようを、片隅でささえ、伝えながら、食文化の行く末をさぐっているのが現状。

私は食文化に執着していません。讃えるものもあり、困るところもある現実をありのままに見ています。先祖がそれでよりよく生きよう、こうすれば、ああすれば生きやすいかと歴史を重ねた練習量の中には、逃すべきでない何かがあるから、簡単に離れず、次の人々のお役に立つ方向に持って行きたい、これのみです。湘南発「出汁を大切にする会」などいかがでしょうか。皆様のご意見をお待ちしています。

合理化ということ

私の畑の主流は青菜と薬味。この薬味コーナーに、昨秋から長崎の糸葱が仲間入りしています。万能葱より、ちょっと短く細め。濃緑のあみ針をつくつくと突き立てたような姿で、寒さにめげず春を迎えました。

湯どうふ、鱈《たら》ちり、水炊き、納豆、味噌汁の吸口、サラダスパゲッティ、ピザ、サンドウィッチ。なんでも葱の香り、辛味の欲しい時お世話になります。厭味がないネ、便利だネ、助かるネー、使うたびにほめ讃えぬわけにはゆきません。

三月に大分に行った時、もっと心おきなく使えるよう、補充用のおねだりをしてきました。おねだりしてまで糸葱を重宝する理由は、あの〝葱をさらす〟という、時間にすれば、一、二分が、布きん洗いにつながり、神経をさかなでることと、肥料の関係で長葱、特に玉葱は安全性が実に低下していること。ソース、ビネグレットに玉葱の汁をしのばせるのは一種の常識ですが、もはや用いぬ方が安全になりました。玉葱代わりにのびるやわけぎを使ったこともありましたが、糸葱は素晴らしい——糸葱と万能葱は違うのですよ。九州へいらしたら買い求め、庭の一隅にお育てになるとよいでしょう。思い出にもなります。

同様の理由で、盛夏以外、絶やさず身近にあるのは小松菜。つまみ菜、うろぬき菜時代は生のまま、大きくなってのちは、汁もの、煮炊きもの、鍋もの、粥、炒めものに下茹でせず使ってゆきます。下茹でを要せぬ葉ものは、他にもありますが、小松葉ほどすんなりいずれの料理にも寄り添うものは少ないでしょう。

種子さえ播けば間違いなく育つので、わざとトウをたて、蕾は春のけだるさを脱け出させてくれる最善の友にしています——自然のローヤルゼリーを含んでいるとか——初夏へ向けて気力の基になると感じています。

こうした食材と食方法は、老若男女を問わず着目して、恩恵をこうむるべきだと思いますが、このような発想を持つ方は少なく、出版人間もあまり興味を持たぬから、世に出る機会がありません。あたり前のことを見直すと楽しいのに。さらし葱を作る——さらす時間は一、二分。葱臭が移ってもさしつかえなく寸法も適当な布きんを引き出しから出す。使って後、すぐ水に放っても、他の布きんとは別に洗わなくてはならぬ。まして、酒の肴にもなるように、葱がふんわり光って立つように切ったり、さらしたり、しぼったり。こうした修練も、確かに人を育てるし、私もこれでやってきました。けれど、こうしたさらし葱の薬味でなければ満たされない人が、この仕事をしんどく感ずるようになったなら、美味しく召し上がるために、ちょっと葱類の種類に目をお向けなさいませと申し上げるのです。

食材の質を熟知することで、調理の荷を軽くする。手抜き、簡単料理という心さびしさでなく、合理化ということは、とことん、本質を追求し、分析し、そこからとり出した手法でありたいと思います。

夏の章

よく観ることで

爽やかな風が吹きわたれば、五月の光は、青葉、若葉の葉裏にたわむれ、あたりに銀色をふりまきます。卯の花は岩場に白く、筍《たけのこ》のおもしろさ、山蕗《やまぶき》の旺盛、木の芽の香り、畠には蝶のような豆の花。やがて、白い花にはピース、紅紫の花には絹莢《きぬさや》が下がります。

まだ稚《わ》かきさやゑんどうのもぎたてはたべぬさきからやさいもの〻香　岡　麓

豆をもいだり、莢からはじき出したり、すじを取ったり。指先のまきちらす青物の香は、まさしく、五月の野のもの全般に備わる特徴と思います。

三時のお茶のあと、ゆとりの時間に、女達の顔が揃ったところで、豆むきをします。日記に記すはずのない、日常性に見えますが、ほんとは、かけがえのない、至って人間的な〝時〟にいるのだと思います。

きゅっきゅっと音をたてるほど、とれとれの莢からとび出してくる、ピースの愛らしさ、いちいち感心するものなどおりませんが、霰《あられ》のようなころころにつられて、大抵の娘達は、わけもなく笑い、老いた方々は、思い出話をなさるものです。

豆が何を誘い出すのでしょう。わからずじまいですが、「こうしたものなのだな」との感を年毎に深くするのです。

絹莢の姿の美しさを示し、形を損わぬすじの取り方を教えるのも、こうした時です。豆に目をこらし、緊張して指先を使うことで発見する「美」がそこにはあります。ものは正直で、自分を自分らしく認め、生かしてくれる人に、よく本質を開きます。


八頁の写真の絹莢をごらんになって下さい。そのような心遣いで、すじを取り、茹でてあります。ひと鍋の絹莢、すべてをそのように扱うことは、中々意識的なことになります。意志的であるところが肝心なのです。幼児をこの仕事に参加させれば、喜びつつ、三回で、ものの観方が変わってまいります。

二十歳を過ぎてからでは、得るところは、十分の一と申して過言ではありません。

三つ子の魂に刻む意味は深いと思います。

終りに、皆様のお役に立つかもしれぬことを一つ。写真は通称「バタ炒め」を始めるところの図です。バタ炒めは、フライパンにバターを熱くし、中華の炒めものさながら、音が立つ程に熱しますと、多くは救い難い結果が生じます。

図の如く、鍋に茹野菜、バター、塩。忘れてならないのが、少量の湯又は水。水分のおかげで、炒めるというより、バターをまぶした状態のもの、ふっくらとした温製になります。

美味しい五月をよく観ることで召し上がれ。

さずかりもの

庭に赤、青の紫蘇が点々と芽を出すと、自然に鰹《かつお》を思い、鰹を思うと、母ともう一人、鎌倉は長谷《はせ》の『魚廣』のおばあちゃんを思い出してしまいます。母のことはさておき、よい魚が入ったときのおばあちゃんの活気にみちた電話の声音。

「お嬢さまッ！　きょうは素ッ晴らしい鰹がきてますよッ。まあ、召し上がってごらんなさいな」。保証つき・推薦の刺身は、身が赤くすき通るよう。摘みたてのつまと生姜で、ひんやり、つるっと。最初の一切れ、二切れは思わず知らずとんで入り、胸が開けるように美味しい。

鰹の刺身、そら豆の塩茹でのあつあつ、山三ツ葉の香る沢煮椀。

木の芽田楽、ピース御飯、香のものは糠漬け、とっておきの奈良漬け、山蕗の佃煮。「おばあちゃん、やっぱり、おいしかった」と電話すると、待ってましたとばかり、自信たっぷりに笑い、親方（自分の主人）の思い出話までするのでした。「うちの親方はね、鰹を気に入るまでおろしたもんですよ。こりゃあ刺身にならねえ、これもならねぇってね。何本でも何本でもねえ。そういうことで、鰹ってもんは、見ただけじゃわかんないッてこッてす」

魚は〝さずかりもの〟といっていたおばあちゃんの魚談義は二、三回テープに取りましたが続きませんでした。かえすがえすも勿体ないことをしました。

鰹の上身は、誰方《どなた》も生身で召し上がります。私はどうもたたきが苦手で、どんなに手際よく扱ってあっても、困るところがあります。だから、初鰹の時節は刺身で、六月にかかると友人から教わった方法でいただきます。

まず、魚は、小ぶりにさく取ります。次に氷水の用意ですが、氷に水であって、くれぐれも、水に氷ではありません。鰹は瞬間的に湯引き、先の氷水につき入れます。上等の甘口の濃口醬油をにんにくと生姜で好みに加減し、水分を拭った鰹を浸します。二時間以上は漬けます。

小ぶりの刺身だから一口に入りますし、出盛りの鰹のあらっぽさがおさまって、好きな扱いです。周辺の女性方はたたきより好ましいとおっしゃいます。おそらく、お子さん、高齢の方、病人にも適した扱いと思います。

刺身は、何につけ、二口で食べるのは不都合と思います。鰹のたたきの大きな一切れを、思い切って口に入れると、五、六回は嚙まねばならず、これが「どうもね」という方は多いようです。

『魚廣』のおばあちゃんは、腹身の塩焼きもよいものだとすすめてくれましたが、つい刺身の残りはなまり節にしてしまいます。

なまりの〝かすかす〟は鰹節に通ずる奥行きがあり、自家製は清潔で万能だからでしょう。定番の焼豆腐・蕗との炊き合わせは、溶き辛子添えてあきぬこと。筍御飯のお握りのよき友は佃煮。生姜と木の芽をたっぷり入れます。酢のもの・サラダにもよいようですが、最近、デュクセル※でこのかすかすを補い、南欧風に扱ってみました。悪くないと思いましたが、母とおばあちゃんで声を揃え「あんなことしているよ」と言うような声も聞こえました。

※野菜のエッセンス・ペーストのこと。料理の味を高めるために使う。DUXELLES侯爵(一六五二―一七三〇)の料理人ラ・バレエンヌによるものと言われている。

苺は五月

苺のほんとの旬は、五月。畠の右側は、つるにからむ豆の花、左側は土に低く苺の白い花。二つの畠を飛び交う白い蝶。こんな風景の中で苺の実は赤くなってゆきます。朝方、実の表だけ赤い実は、終日の太陽をあび、夕刻は、裏まで赤くなります。これは、夜の苺ミルク。

苺ミルクで食べきれなかった分と、四番なりで、ジャムやシロップを作りだめします。家の苺は、明治初期、日本に入ったビクトリアという種類の苺で、母が少女時代（明治後期）苺園を持っておいでの友人から、分けていただいたものです。

母の書いた五月の思い出に、友人の苺園で、苺の摘み放題、苺ミルクの美味しさ、クローバーのカーペットに座り、草花の香りにつつまれ、花輪をあみつつ、歌ったり、おしゃべりしたり、心ゆく迄遊ばせていただいた日をなつかしむ一節があります。東京・目黒不動の近辺が、まだ田圃であった頃のことです。

ビクトリア種は、当節の改良を重ねた、中が白い苺と異なり、中迄赤の色がにじみ込み、野の香気と、心地よい酸味を持っています。改良種は、ジャムにすると、最早その過程で至って頼りないものとなり、市販の製品はおそらく、仕上がりにクエン酸なりレモン汁を使わざるを得ないことでしょう。

ビクトリアは、一番、二番までは、勿体ないので、そのままいただきますが、三番、四番なりはジャムでこそ本領を発揮し、その深紅色・香気・酸味は見事なる三拍子なのです。母は「これこそ明治の味」と言っておりました。

母は、思い出深い草木を、転居の都度、持ち運ぶくせがありました。苺も東京、名古屋、鎌倉、鎌倉の中でも大御堂、浄明寺と移りました。戦中、戦後大へんな時期もありましたのに……。母のふしぎなくせがビクトリアの純粋種を守るとは、本人もそこ迄は、先見していませんでした。

現在、この種類は大学の標本室にわずかに残っているだけだそうです。

幸い鎌倉の皆様は、農協市場の素朴な露地ものがお買いになれます。ジャムになさるなら、寝しなに、ヘタをとった苺をほうろう鍋に入れ、最低量で苺の八〇%の白ザラメをまぶし一晩置きます（砂糖を減らす処方もありますが、賛成出来ません）。翌朝、砂糖はとけ、代わりに、真赤な苺の果汁がたくさん滲出しています。この鍋をそのまま弱火にかけます。清潔な木しゃもじを濡らして、時々まぜてやります。泡が出てきたら、鍋をゆすり、中央に泡をよせ、アクすくいで取り除きます。

滲出果汁は、途中で半量はシロップ用に取り分けなさると、すばらしいジェリーや飲料のもとになります。残りの果汁の中で静かに煮つめ、ジャムに仕上げます。ビクトリアの苺ジャムは、鎌倉なら御成町の『わ工房』（0467―22―0448）で買えます。私がジャム作りの鉄砲塚精四郎さんに苗を分け、製法指導をしたものです。家庭の味とは異なりますが、上等です。

梅仕事の心

ななかまどの粟粒のような白い蕾が、繁みの奥で夢のような花をひらき、河原撫子が、とりどりに咲こうとする頃、我が家の梅仕事は始まります。

「梅仕事」。母の遺した言葉ですが、やさしさの中に、りんとした実感のこもる呼び名と思います。鈴をつけたように実る青梅を見上げ、年毎に今年も、無事に終えるよう願います。

梅雨にあたらぬ青梅で、梅肉エキス。ややおくれて、梅酒。梅雨に二、三回あてた梅で梅干し、つづいて煮梅。すっかり熟れて香りたつもので梅ジャム。落ちて、傷んだもので梅ふきん。梅仕事は実をめぐる仕事のみでは終りません。

収穫の後のお礼肥、盛夏の剪定、真冬の消毒・施肥、加えて赤紫蘇の畠地の用意、紫蘇摘みは、週一回、麦わら帽子で柔葉やわ葉と摘み歩きます。加えて、九月に紅生姜をとりますと、油断はならず、段取りおくれず、「仕事」と呼びたくなります。

実の仕事の中で、是非お手がけになるとよいのは、梅肉エキスだと申して過言ではないでしょう。

なぜなら、様々な薬効、特に食中毒の予防として世界にかけがえのないものであり、にもかかわらず、商業ベースにはのりにくく、本ものは中々入手しにくいからです。

梅酒・梅干しなどは、おねだりして、非常識なものでもありません。

しかし、梅肉エキスは気楽なものではなく、「自分のことは、自分で」の類に入ります。

作り方は、拙著『手づくり保存食』※に詳細があります。

むしろ、毎年絶やさず作り続ける手だてを申し添えましょう。

梅肉エキスを作る過程で、私の苦手な点は、梅の果肉は薄く、瀬戸のおろし金にたちま

※現在絶版になっておりますので、図書館でおさがしください。

ち種子があたるところです。

青梅の酸気、種子のガリッ、歯が浮く思いとは、このことです。

こんな仕事は、気のはずむ仲間と、共同作業。BGMの力も借りて。すらっとストレスを減らしていたしましょう。

一人でひたいに八の字よせ、修業のようになさらぬことです。

楽々作れれば、緊急の方々に気前よく分けてさし上げることも出来ましょう。

先年は七月が雨でした。今年は梅ふきんを干し終えた頃、山並みの向こうに、夏雲を見ることが出来るでしょうか。

梅の実の仕事は、息が長く、無事に終えた安心と湧き上がる夏雲は、ぴったりなのです。

めりはりの心

味をいかす、味をひきだす、味をそえる、味をひきたてる、味をおさえる。

——味の周辺には、食べものを扱う上で、適切、微妙な表現が、多々あります。むし暑い日本の夏は、「味をひきたてる」類に入る温度に関わること、特に〝冷やし加減〟、加えて冷たさ、涼やかさをいかす上での〝熱さ〟を献立にどのように配するかが思案のしどころでもあり、演出の愉快さでもあります。

冷やし加減で、ぶどう酒の温度に詳しい方がいらっしゃいます。同じ配慮が、日常茶飯にもほんとは、欲しいと思います。

冷蔵庫で、豆腐の旨味をおさえ込んでしまった冷や奴、舌がしびれる程冷たい水瓜《すいか》、冷やし切って泡も立たないビール。

——疲れが倍になるような気がしますネェ。

私が手本にしている、湯茶、野菜、果物の冷やし加減は、実は〝朝露〟です。露にぬれた、トマトや胡瓜。味も香りも、一夜かけたひんやりで、口にもお腹にも、言うに言われぬ頃合いです。

むずかしい基準かもしれませんが、願いは、無神経をふせぐこと、朝露を念頭においています。（冷蔵庫を二台持ち、大は保存用、小を冷やしもの用とすればね……）

とは申せ、朝露はうつろいやすいもの。露を受ける器の方を、尽くせるかぎり冷やさねば、コップ一杯、小鉢一つ終えぬうちに、ひんやりは、はかなくなります。

一口の梅酒、一杯の麦湯。こうしてふるまわれた時の、ほっとすること。思っているより繊細な自分を感じます。

「めりはり」という言葉は、日本語ならではの形容詞で、大好きです。

夏の食卓は、温度も味も、めりはりきりっと、真っ白のピケの服に、貝ボタンのきいているようなのが好き。

風呂上がりの冷たいビール。コップ一杯終えたところへ「はいっ」と湯気立つ枝豆。ひんやりつるりの瀧川豆腐で冷酒をすすめ、盃二つ三つすごしたところへ、舌の焼けそうな茄子の田楽。

「お魚が今すぐ焼けますからネー」台所からの声。焼きたてのあつあつは、魚の身と皮の間に熱気がこもり、ふっくらふくらんでいます。箸をいれると、かぐわしい香り。すかさず蓼酢に浸して、ぱっくり。

合の手は、ぶっかき氷にざんぐり盛った、きりきり冷たーい塩らっきょう。塩ぬきも酸味もほどほどを、一粒、二粒、パリパリ。

こういう明快さが、いいんだナァー。

味のめりはり、温度のめりはり、タイミングのめりはり。ほんとは、料理以前のこと。人間を知ることに始まります。

組み合わせ

「姑が伝えた我が家の味は、長葱の芯は使わず白いところだけ細く切り、牛肉の薄切りと炒め合わせ、大根おろしでいただく……主人など、このにおいだけで台所へ現れてくるんですよ」

あら、おいしそう。私も——というなりゆきで赤身のすき焼き肉一〇〇g金三百五十円也を買い、薄切りを丁寧に一枚一枚はがしては空気を入れ、塩、胡椒しながら縦・横・縦・横に並べなおし。テフロン加工の鍋にオリーヴ油少々、強火でささっと炒め、別器にとり出し、直ちに葱を投じ、また肉をもどし入れ、炒め合わせて調味。

待ちかまえている者は、大根おろし、柚子、醤油で受け、「旨い！　おばちゃんにしちゃ変わったもんだね〜。ビールもう一本いこうか」。私も長葱の中心を使わないだけで、〝こうも受けつけがよくなるか〟とビールを気持ちよく飲んだのです。

ところで、後片付をしつつ思案せねばならなくなったのは、手籠に八分目も残った芯です。葱の値段の半分は籠の中にあるのです。

辛みも臭みも強いところばかり。煮魚と添え煮にしてもパッとしないかもしれない。やはり間違いのないなだめ役はじゃが芋、牛乳、油脂かなと考え、長葱のポタージュで体をあたためることにしたのでした。

じゃが芋ばかり使いますと芋くさくなることもあるので、冷御飯も少々、セロリの残りも見つけました。まず葱とセロリをバターとオリーヴ油で蒸らし炒め、ここへ小口切りして水でさらした芋、スープ・ストック、冷飯、塩の順で加え、やわらかく炊きます。それをミキサーにかけ、牛乳でのばします。

まずまず家庭の味となりました。

五月になると新玉葱の季節です。鎌倉の農協市場には濃緑の茎、白根までつけた、真白く光った新玉葱が束ねられ山と積まれます。玉葱の茎というか尻尾というか、これでも同じポタージュが作れます。

長《た》けた小松菜、ブロッコリーの軟葉でも、じゃが芋を土台にしたスープにします。急に人数がふえた時は、水なりスープなりで補い、とろみ不足は匙に一、二杯のオートミールを投じてやりますと、難なく即座に調節出来ます。

この記事で申し上げたいことは、ポタージュの話ではありません。

ポタージュをかりて、ものの正体の良いところと欠点を、組み合わせによって、良い方へ、良い方へと導いてしまう術を申し上げておこうとの考えです。

先の肉の炒めものが十八番であったお姑さまは、戦前の中国で長く生活なさった方、おそらく、中国の賢い葱の使い方をよく見ていらしたのでしょう。

この世のもので、万事備えているものなどまずありません。良いものでさえ、表裏一体です。

料理の世界では、組み合わせで悪からも善を生み出す例が多々あります。人間関係はむろん、景気の問題のヒントになりませんかしら。

なまり節

鰹の生態はまだわからないことが多いと言いますが、鰹の滋養は他の魚にないものを備えているはずと言われます。

鰹の最高スピードは五〇ノット（時速一〇〇㎞）。世界でもっとも速いと言われている水中翼船型のミサイル艇と同じで、航続距離は何千㎞、想像を絶する持久力を持っています。

その力の源は血合にあるのだそうです。血合はミオグロビンと呼ぶ成分を含んでおり、人間でも心臓の筋肉など持久力を必要とする組織はこのミオグロビンを多量に含んでいるということです。血合だけに限らず、全身の筋肉は、蓄電池のような血合から発せられるエネルギーを受けとるわけですから、その生身、葱、生姜、果実酢を添える食方法は、驚くほど理にかなっているのです。黒潮にのって、はるばる回遊してきてくれる鰹。鰹節にまでなってくれる鰹にどれほど感謝すべきか……、養殖の術はありませんしね。

ミオグロビンの理論でゆくと、中落ちは奪い合いでも食べるべきとなりますが、中落ちの髄を箸で突き出して食べる有様など見なくなりました。昔の親はこれを生姜や山椒と共に甘辛く炊き「お食べ、お食べ」とすすめることが出来ました。どんと炊いた鰹のお煮付けの煮汁で、翌日ひじきを炊けば、海藻の成分に鰹のエキスが染み込み、理想的な食物だったわけです。

鰹の漁獲は減りましたし、家族構成などのこともあり、鰹一尾、又は片身の使いまわしを、おすすめしにくくなりました。

とは申せ鰹料理を数えてみましょう。刺身、たたき、煮つけ、煮つけたものをつけ焼きするキジ焼き、腹身の塩焼き、中落ちの煮つけ、角煮、なまり節、そうだ鰹のさつま揚げなど色々あります。この中で今回は「なまり節」の自家製をおすすめしたいのです。新鮮で清潔ななまりの持ち味は別趣で、使いまわしは楽しいからです。

作り方は、鰹は出来れば片身を背と腹にわけ、中塩をピタピタとたたきあて、二十分くらいおきます。蒸し器には笹の葉を敷きまわし、山椒の葉と生姜を二片程薄切りしたものを用意します。魚の身に酒をふり、笹の葉に皮目を上にしておき、山椒と生姜を上からちらし、笹の葉で覆います。蒸し方は、蒸気の上げ方と、時間が大切です。ただ、火力。蒸しがあがってから五分そのままの火力、その後はやや火力を弱めて、十五分〜二十分。これで火を止め、粗熱がとれるまでそのまま。昔の文献には一時間などという解説もありますが、これではなまりがかすかすになります。蒸し器に入れてからでなく、〝蒸しあがって〟をお間違いなく。

甘辛く炊き、その煮汁で茄子を炊くのは、当節客料理にもなります。

作りたてをほぐして、胡瓜と酢のものにしたり、大根おろしに生醤油も美味しいものです。生姜と山椒の葉たっぷりで佃煮も捨てがたいと思います。蒸し器についた臭いはレモン汁を使えばよく除くことが出来ます。

カラコレスの歌

でんでん虫々かたつむり
おまえのあたまは　どこにある
つのだせ　やりだせ　あたまだせ

梅雨に濡れるあじさいを、ながめていたら、久しく歌わなかった歌が、ふと口をついて出てきました。歌につれ、絵を見る如く頭に浮かんだのは、スペインのでんでん虫でした。

数年前、彼地へ行ったのは主としてアラゴン州、六月でした。キャベツやレタス、ふだん草、カラバサ（ズッキーニ）の畠に、腰に缶からを下げた人が何かさがしながら、採取している姿をあちこちで見かけるのです。「何をしているの」とたずねると「カラコレス（でんでん虫）をさがしているのさ」と教えてくれました。

カラコレス＝エスカルゴ。

興味しんしん、私も仲間にと、よくたがやした畠地に足を入れ葉かげをのぞけば、いるいる。フランス産より三まわり程小粒、やや色黒なのが、そろりそろりと歩いているではありませんか。「雨上がりの朝が一番たくさん出てくるんだよ」。アラゴンの農夫は、はじめて出会った日本人とカラコレスを一緒に採って上機嫌でした。

台所のおばさんは、「私達は、ニンニク・玉葱・トマトで煮込むのよ」目を細め口元で手指をはじき、美味しい！　最高においしいのジェスチュアをしてみせます。私としては、見得半分、本音半分「食べてみる、食べてみたい！」とはずんでみせなくてどうしましょう。

「採ってからすぐでなく、二、三日はかこい、汚物を出し切ってから料理してあげる」

成程成程、このわけもよくわかります。

日本のフランス風レストランで、ココットにやっと五粒程のエスカルゴがニンニク、オイルの中でくつくつ。これが話に聞き本で読んだエスカルゴかと、吟味しいしい、白ぶどう酒で、しずしず食べるのとは大違い。この地方の食べ方は、籠一杯のカラコレスをカスレで直接料理し、そのままどんとテーブルに置き、皿にとり分け食べたいだけ食べる、原産地風です。

カスレとは、赤土で焼いたスペイン独特の平鍋で、直火にあて、炒めものをしても割れない土器です。大きさは、大中小種々で、この時は直径四十㎝程の大型を使ってくれました。

味は、ちょっと土臭いつぶ貝をトマトソースで煮たようなと言いましょうか……忘れ得ぬ味では言い過ぎ、しかし独特な、なつかしさを呼ぶ味だったと思います。「せっかく作ったのに、もっと食べなさい」「私には、このくらいが適当なの」。はっきり自己主張しても、後くされのない相手って、疲れませんね。

あじさいにしとしと降る雨と、スペインの田舎は、似ても似つかぬ風情ですが、しずけさにつれ、はるかなる純朴を、ありありと想い出したようです。そういえばカラコレスの歌もあるんですよ。

トマトの来た道

日が昇る先にちょっと草むしり、掃除する手がトマトにのびて、朝露でひんやりの赤い実をそっとねじりもぐ。

自然のままの冷え加減を大切に、畠の葱ひとすじと青紫蘇で、軽くサラダに。

これで、一枚のトーストの美味しいこと。

世は感謝の薄い時代となり、もし夏の暮らしに、トマトがなかったらなど考える方はいらっしゃらないと思いますが、わざと思いめぐらしてみますと、色々の〝大好き〟が目前からにわかに消えてしまいます。

まず、サラダから赤い甘酸っぱさがなくなり、トマトソースをぬきにしたピッツァは語りにくく、あらゆるパスタは力を落とし影がうすくなります。牛の骨と、肉のたち落としで作る総てのソースは突然くどくなり、調理人は何をもって、そのくどさを和らげるか、頭をかかえることでしょう。醬油・味噌を持たぬ国の人々が、いかにトマトの本性に頼り、魚介類のくせを去り、米に底味を玉子料理に変化をあたえてきたか、ありありと見えるに違いありません。トマトは、コロンブスのアメリカ大陸発見によって、十六世紀に、メキシコやペルーの高地から、米やとうもろこし、その他の植物と共にヨーロッパに運ばれました。

当時は、さくらんぼのように小さく、異臭が強く、人々に好まれなかったそうです。それが、ヴェスヴィオ火山の麓の土で、改良に改良が重ねられ、十七世紀にパスタの類と出合うのですが、それには、百年余の年月を要しています。日本には徳川中期頃、オランダ人の手によって入り、「唐かき」と記された記録もあります。人々は蕃茄《ばんか》とも呼び、もっぱら鑑賞用であったそう。中国料理に蕃茄《ばんか》牛腩《ごうなん》というトマトと牛肉の、実に美味しい料理があるところから推して、蕃茄という呼び方は中国風でありましょう。

明治には、「赤ナス」と呼ばれ、ちょっと砂糖をかけて食べるハイカラがありました。現在のように一般化し、トマト・サラダ、トマト・ケチャップ、ジュースと、切っても切れぬ関わりとなったのは、昭和に入ってからのことと思います。

鎌倉農協市場の、東京の人々の口に入らぬトマトを手にする時、十六世紀から始まったトマトの旅を想ってみましょう。マクドナルドを欲しがるお子さん方にも、こんな話をしてあげようではありませんか。

米の来た道、パンの来た道、大豆の来た道。目前にあるあたり前に対する感動を私達はもっともっと持ちたいと思います。

今夏、はるかなるトマトの来た道に思いをはせ、トマトを様々に、より美味しく、召し上がって下さい。

梅干しの防腐効果

昨今、梅干しを漬けようとの気運が現われています。一粒いくらの梅干し、これではたまらぬとの皮算用型。昔なら何処の誰れでも漬けていたもの、私も出来ぬはずはないとの挑戦型。故郷を恋うる如く、梅干しを漬けていらしたおばあ様、お母様の姿を追う郷愁型。意図は何であれ、漬けてくださることはうれしく大賛成。

今回は、お漬けになってから後の用い方について書いてみましょう。

えらそうに申し上げる程のことはないと思うのですが、結構作った梅干しが減るのです。よく減るのはなぜかというと、やはり料理に使うからららしく、梅干しそのものを口に入れることはまずありません。

使い方は、防腐効果と塩梅という表現通り、調味効果を兼ねて用いています。

第一は、やはり米との関わり。炊飯に梅干しを入れて炊くと防腐効果があります。防腐を気遣う必要のある場合は、年間を通して使います。特に梅雨、盛夏はかならず。三カップの米に梅干し一粒の割合で炊き込みます。土用を過ぎると米の味は衰えますが梅干しを入れると御飯に底味を添えて美味しくもなり、一石二鳥です。

御飯の延長でお結びのこと。通常、お結びの中心は梅干しに決まっていますが、防腐効果としても、味わいという点でも、梅干しの影響はお結びの表面にこそ欲しいのではないでしょうか。

私は手水のかわりに梅干しの果肉を掌にぬり、御飯を結んでいます。見た目を気にする場合は、果肉を裏ごししてから使います。

最初の一口から梅の味で御飯が食べられるし、どう考えても防腐効果も高いと思います。救援活動の場合は握飯も特大型でしょうから中央に梅干し、手水は梅酢が適切で、仕事の能率もはかどると思います。

次に梅干しがかかせぬものは出汁類の保存。一番出汁、二番出汁、煮干し出汁など。少人数の家族構成で、その都度三、四カップの出汁をひくことは非合理的だと考えています。出汁は一升引いてこそ味になる、最低五合だと思います。残りは冷蔵か冷凍。冷蔵は広口びんを用います。この場合、吸い味をつけるか、古い梅干し一粒投じ、中火で火入れし粗熱を取り、保存します。

昆布を用いたものは足が早いから、漉《こ》したものはかならず火入れするのです。以上は引いた出汁に梅干しを入れる話ですが、出汁の中には煎汁《せんじゅう》という種類があり、これが身体の芯の養いになります。炒り玄米のスープ、椎茸と昆布のスープ、様々な野菜スープ。

これらを炊き出したり、蒸したりする。その時梅干しの種子を入れるのです。そこはかとない酸味のさわやかさと保存性。煮炊きものにも、佃煮、煮浸しすべて梅をしのばせ、底味と保存性を高めています。

コンビニの食物が保存料漬けなのを御存知でしょうか。御飯を炊く時、早や防腐剤と共に炊くそうです。厳しく食を選別せねばならぬ時代になったと思います。

食に落着きを

「使いこなす、着こなす、使い込む、みがき込む、食べ込む、はき込む」などの言葉は、人間とものとのつき合いにも、根気が介在することを、こなす、込めるなどの動詞でふうわりと表現し得ていると思います。

先頃、こんなことがありました。

小売値にして、五百万円以上のキャンデーの寄附を頂戴したのです。容量で五百梱包以上でした。キャンデーの名は、オレンジママレードと、レモンママレード。それは、小さな一粒の中に、それぞれのピールが入っていて、ピールの移り香のする、上品で後口のねばらぬもの、甘いものをちょっと欲しい時、ふと思い出してしまうようなものでした。

どなたも「あら、ハンドバッグに入れときたいわ」と言われましたし、あるデパートでは人気商品の一つで、一回に二十梱包の注文が入ったこともありました。にもかかわらず、全体的に売れ足がつかず、賞味期限切れとなったのです。社長のNさんが「捨てねば」と言われたのを「勿体ない、私に拾わせて」と願ったのです。四つの教会に配っていただき、施設に送ったり、バザーの景品に使ったり、どちらも大感謝でした。「商品を捨てるより、あの型の商品がなくなる方が惜しい」とNさんが溜息をつかれたようなキャンデーでしたのに。

良いものでも、所を得て、一人歩き出来るようになるには、時間のかかるものだとは、うすうす知っていましたが、五百梱包はまさに実感でした。以前からNさんは、この時代の〝移り気〟を嘆いておられました。人々がものとものの事に対してプリンシプルを持とうとしない故、本ものを作り育てるには物心両面の消耗が激しい事も。

今年もそろそろ一杯のビールに歓声のあがる時節となりますが、ひきつづき、例の副材料を目一杯入れた、サイダーのようなドライビールが喜ばれるのでしょうか。チュウハイになだれていたのはつい二、三年前でしたのに……。

日々の暮らしにめりはりをつけてくれる大好きなビール。そんなに好きなビールなら、ビールってのはこういうものがビールなんだ、だからこういう飲み方しようって——昔は落語の八つぁん、熊さんでも、筋道立てて飲み食いしてました。〝飲み食いくらい好き勝手にさせろ〟いいえ、いいえお見逃し出来ません。

ドイツでは、十六世紀にビールの純粋令というものを作り、現在に至っています。人々も、右往左往せず、落着いてそれを飲み続けています。

日本の現状は、あまりにも無定見で、あわれな食物、あわれな食方法が氾濫しています。今夏、ビール一つ、プリンシプルをわきまえて、飲んでみようではありませんか。幸い日本の「ヱビス」はビール純粋令に正しくのっとったビールです。よいものを身近な生活から失いたくなかったら、移り気をいましめ、落着いてものとつき合いましょう。それにしても、落着きとは、何から生じるものなのでしょう。

味の違いは音の違い

「ゾリゾリ、ガシガシ」「そりそり、そりそり」。これ、なんの音でしょう？両方とも大根おろしをおろす音なんですけど……。ガシガシは、大根をおろし金に押しつけて力一杯前後に動かしている音。

そりそり、そりそりは、大根をおろし金の上で、まるく丸くやさしい力でおろす音。ゾリゾリは、ざら目に、そりそりは、なめらかで、ぼっとり。ほんとに、味まで違うから、ふしぎなのです。

「トントントントントントントン」「トッ　トッ　トッ」。トントンはひぐらしを聞く散歩道で、塀の外まで聞こえる、あの胡瓜を切る音、そう、胡瓜もみを作る音です。「トッ　トッ　トッ」もやはり胡瓜もみの音。リズミカルなるトントントンは耳に心地よくとも、多分口には紙っぺらみたいな胡瓜もみになっちゃうのね。「トッ　トッ」のトッ弁風は、耳に稚拙を思わせるけど、口にはほんとの胡瓜もみになってるはずです。

胡瓜の薄さって、薄きゃよいってもんじゃないのよね。一㎜、いえ、一・三㎜くらいをねらって欲しいのですけど……。「トッ　トッ」いい音だなと思います。

無条件でうれしくなってしまうのは、さらし葱が光って、立ち上がらんばかりなのとか、みじん切りのさらし玉葱が、半日置いても調子がくずれないとか。

こんなので麵をすすり、冷や奴を受け、サラダを食べましょうね。だって、一生のことなんですもの。習わしは、子に伝わりますしね……。

冷や奴を食べる醬油は、刺身醬油よりほんとは気を遣わないと。奮発買いした上等は面倒でも冷蔵庫の出し入れで、最後迄美味しくいただきましょう。それから、言いたくないのですが、北海道の玉葱のなかには窒素肥料が多く刺激が強くて、サラダには使えないものもあるので、気をつけて下さい。ついでに、サラダ用の油ですが、生油をなめてみて、品定めなさったことありますか？　よい油は……。

よい油は、油自体に旨味があるのです。

そして酢は、酸味を添えるというより、香りを添える心持ちで。だから、シェリーヴィネガーやバルサミコが適しているわけです。

家々の食べものは、なんでもないものの美味さが、なんといっても何よりです。

香り高い番茶で始まる朝飯——。御飯と実だくさんの味噌汁、夏大根の辛味に少々の花かつお、両国『西沢屋』の海苔を、数えては出し、沢庵、糠漬け、佃煮一箸。

又は落着いていれた紅茶かイタリアン・コーヒーにトーストと黒パン一枚、日替りチーズ。蜂蜜、庭の果物ジャム、半熟玉子、畠のつみたてサラダ。

東京の忙しい人に、贅沢と言われると、返す言葉はありませんが、せっかく鎌倉にいるのですもの。

愛につられて

「ただいまッ」。靴を脱ぐ間ももどかしく、「今夜はなんだ?」と父。「なんでもあるわよ」とはずむ母。

〝なんでもあるわよ〟で、目と目がにっこり。「おかえりなさい」と迎えに走り出たみんなも、ぴったり明るく楽しい心になったものです。

自信あり気に〝なんでもある〟と受ける母を小心者の私は何時も大丈夫かなと案じたものです。

なんでもしてあげたい母の心、その心で一日の疲れがふっ飛んでしまう父。

あれは、絶妙のやりとりだったな。どこにでもある風景じゃなかったんだな……。

一番大切なことって、そのなかにいる時は、なんとあたり前のことにしか見えないのでしょうか。

なんでもあるわよ――の夕餉《ゆうげ》の食卓。それは「酒の肴にお金をかけるもんじゃないよ。才覚でお作り」の口ぐせ通り、季節のほんとになんでもないものを、父の好みに合わせて作り、父のテンポに添って出す。これだけのことです。

ビールで始まり、日本酒で終わる父の習慣。これに合わせ酒肴《しゅこう》を並べます。大別して言えるのは、ビールに生臭いものは合わないから、刺身・焼魚・煮魚は日本酒に合わせて用意するのです。

・初夏から夏にかけ、空豆、枝豆のあつあつ。

・初秋のきぬかつぎ、晩秋の炒りぎんなん。

・五、六月は、日ノ御崎の香ばしい火取りめのは。

・豆腐は、夏の冷や奴、瀧川豆腐。秋、冬は揚げ出し、湯豆腐、鱈ちり。
・一年中重宝するのが揚げ餅。正月のお鏡餅を割って寒ざらしにしておき、良質の昆布と共に揚げ、籠にまぜ盛りするのですが、自家製ですから、もたれることはありません。他の揚げたものでは、ポーム・パイユ（細切りしたお芋の揚げたもの）、ごぼうのパイユです。これらは、外国人にも大うけします。
・大好きな浸しものは、やはり春のもの。嫁菜、根三ツ葉、あした葉など、一口噛んだら、ぱっと口中に香気の散るもの――お父さん族には精のつく浸しものをあげねば……。いつも子供と一緒、ほうれん草、小松菜、中国菜では、かわいそう。
・精のつくものと言えば、父は塩らっきょうが好きでした。十分塩出しして、ガラス器にぶっかき氷と。キリキリ冷たいらっきょうカリカリ、焼きたてのソーセージにフレンチ・マスタード。とってもビールが美味しいんです。
・ぶっかき氷と言えば、茄子の糠漬けも、ぶっかき氷、溶き辛子なのです。冷え冷えの紫紺の茄子を辛子醤油でツーン、かますの酒焼き、あつあつをぱっくり。日本酒に合わなくてどうしましょう。

書き出せば、切りなく思い出す、父とその友人方の大好きな、なんでもないものの、なんでもある食べ方。

母は男性をなんとよく知っていたかと思います。はじめから知っていたはずはなく、まして教えられたのでもありません。ただ個性的に父を愛し、父を通して男性方を理解し、〝なんでもあるわよッ〟に至ったと思います。

手づくりのすすめ

トマトの最盛期に、トマト・ジュースを作るようになったのは、何時頃からだったかしら。

毎夏、ほうろう鍋で、完熟トマトをふつふつ炊きはじめると、そこはかとなく、トマトとブーケガルニが混然とした、ハイカラな香りがただよいはじめました。

常備菜や保存食を作る香りは、日々の料理の香りと異なり、潮がひたひたと満ちてくるような充足感で、人の心を落着かせるところがあります。

思うに、夫婦別れを胸に、梅干しを漬け、塩昆布を炊き、らっきょうを漬ける風景を見たことはなく、夫婦げんかの翌日炊きましたという煮豆を食べたこともなく、冷えた心で魚の風干しをつるす人を見たことがありません。

日常茶飯の手業の背景は、推測以上に心の深淵に属し、投影そのものと思います。深淵にたたえられていたものへの敬意と感謝をなおざりにしていた長い歴史が、こと、ここに至って、あってあたり前とされていた女の水源を枯渇させているのではないでしょうか。

朝、なみなみとコップ一杯のトマト・ジュースにレモン汁を落してすすめます。酷暑に耐えて、励む人の一日を、あらかじめ養っておかねばの思い入れなくして、誰が手、足を動かすでしょう。

手づくりの美味しさには、心から「ああ、美味しい」と言いましょうね。〝美味しい〟ってこと。あたり前じゃないんですよ。

美味しいトマト・ジュースの作り方――

① 完熟トマト一kgは、よく洗い、鍋上で皮ごと手で割る（なべはほうろうか、ステンレス）。

② 玉葱一〇〇g、セロリ・人参五〇〜七〇gは薄切りにし、にんにく小一片、ロリエ一枚、パセリの茎五―六茎、粒こしょう四―五粒、水二カップ、塩小匙一、砂糖小匙一―二杯と共に、鍋に加えて加熱する。

③ 煮立って出てきたアクをすくい、火を弱めて、鍋蓋をずらし、二十〜二十五分炊き続ける。

④　トマトが、充分柔らかくなったら、裏ごしを逆さにして別鍋にかけ、裏ごす（マッシャーを用いると能率的）。
⑤　よく冷して、レモン汁を落して供す。

ちょっと、とろみのある素直なトマト・ジュースを、こくこく飲みながら、かりっとトーストをいただくのは、なんと調子のよいものでしょう。トマト・サラダにないこの美味しさは、どこから生まれてくるのかなーなど、真面目に感心してしまいます。トマト人が愛ゆえに、作ったり、食べさせてもらったりする日々。過ぎてしまえばなんと短いことでしょう。

チーズとぶどう酒の布

当節の無責任な情報過剰。この中から広い意味で生命を生々発展させ得る事実を判別するのは容易でなく、撰別者の智恵と良識が随分問われるように思います。

食の分野に限り言わせていただきますなら、判断の基準となる一助があります。それは情報提供者の人柄と生活ぶりを知っておくこと、知ろうとすること——公平な目でね。

なぜなら、私達のお金と時間には限りがあり、一々体験してみるわけにはゆきませんから——単純な理由でしょ。

以前、私はチーズを最後迄かびさせず、味を変えず食べてゆきたいと思いおもい、なかなか成功しませんでした。半ポンド程のものなら、かびぬ間になくなってしまいますが、安いからと大買いした時、何時もついにかびさせていました。

ある時、料理研究家の若林春子さんが、それこそ二十年程前に出版されたフランスの家庭料理の本を何気なく読んでいたら、料理レシピの片隅に小さい活字で、「チーズは白ぶどう酒に浸してしぼった布で包んでおくとかびない」と書いて下さってありました。

私にとって、その本の価値は、その小さな一行を見出すためにあったようなもの。ほんとにありがたいと、さっそく実行しました。

チーズはむろんかびなくなったし、必要以上に冷蔵庫でこちこちになることもなくなりました。お弟子さん方も右へならえで、「あれ以来」とおっしゃいます。

ほんのこぼれ話の扱いのように書いて下さった一言。けどなんと若林さんならではの一言であったことでしょう。御主人のお仕事の関係で戦前からフランスに長く、さらに興味深いことは、家族同様の忠実なフランス人家政婦に恵まれていらしたとのこと。

生きてきた道程の蓄積から溢れ出るものにはかならず真実があります。

これにひきかえ売り込み屋のまことしやかは世の徒花《あだばな》にひとしく、混乱の元凶と思います。

さて、ぶどう酒の布以来、台所のかび防止や腐敗防止にアルコール類を使い過ぎないように使うようになりました。

かまぼこやはんぺんの残りを、日本酒を浸した懐紙で包む。余分の干物を両面酒で拭って冷蔵するなど。古くなった梅酒も肉類の煮込みによく使います。

食物の防腐はアルコールのみでなく、梅もまだ科学的に証明されつくしていない効果があるのではないでしょうか。

これからの季節、御飯を炊く時に一粒の梅干しと共に炊く、人参や隠元など足の早い野菜を炊く時、梅干しを（種子だけでもよい）しのばせて炊けば発色もよく、味にもしまりが生じ、むろん、傷みをおくれさせます。

魚の煮浸しにも梅干しはかかせません、鮎《あゆ》、鰺《あじ》などなど。

終りに、私達が頼りにする冷蔵庫の掃除。私はなんでも最小の労力が大好きで、薬用アルコールとリードペーパーで、ちょいちょい何気なく拭いています。水回りも。

雷干し

今年は鎌倉の農協市場に、早々と白瓜が並んでいました。スーパーとは縁遠い瓜かもしれませんが、果肉が密で、胡瓜にないコリッとした歯あたりがかけがえのない瓜です。

この歯ざわり故に、粕漬け、奈良漬け、味噌漬けなど保存系の漬物になくてはならぬものです。浅く漬けてうれしいのは糠漬けでしょうか。亀戸大根という細身の大根、白瓜、紫紺の茄子、三種をとり合わせた清々しい糠漬け。盛夏の食欲をささえたものです。

さらに別趣のものとして「雷干し」というものを御存知でしょうか。白瓜の歯ざわりと香りを巧みにいかした、盛夏の食べものです。

あまり暑くて、食物のことなど考えるのもいやな日、こんな日が一日や二日は盛夏にあるものです。そんな日「雷干し」を思い出し、玉露でお茶漬けをなさってみてください。

思えば母はどんな状況の場合でも、他人にも自分のためにも「これなら咽を通る」というものをかならず、たぐり出しました。

「食べたくない、食べられない」といえば「そんなこと言わないで、これをお食べ、これなら食べられる」と、食べものをすすめました。料理の手の内の真価というものは、こうした場合の切札と思います。

知識と経験の欠落から「食べたくなくなった人」を、何時かは食べたくなる時もくるかと放置することがありませんように。

「食べつかせる」ということが肝腎ということも聞かされて育ちました。「食べつく」「食べつかせる」生命を守り育てる要点の一つかと考えます。

さて「雷干し」に話をもどしましょう。材料は白瓜、上等の木の箸二〜三本、調味料、酒、みりん、薄口醤油「紫大尽《むらさきだいじん》」（又はよい濃口醤油）。みりんは白扇酒造の本みりん。又は、甘口地酒「高砂」が適している。「紫大尽」と共に坂ノ下の『三留商店』で扱っています。「紫大尽」は東急デパートでも入手できます。

作り方はまず、白瓜の上下を落し、次に中のサナをかき出します。サナを出した洞に箸を通し、一・七cm程のラセンに包丁します。瓜をまわしながら切ってゆきます。中に箸が入っているので、傷つくことのないラセンに切れるはずです。

これに軽く塩をふり、塩が落着いたら瓜の中央を結び、竿に下げ天日で干します。ラセンがのびて、長く下がるところに、面白味があります。朝から夕方まで一日干します。

これを角切りにし、酒、みりん、醤油をふってよくまぜ、上から花かつおをかけて供します。

冷え冷えコリッとが身上なので、切って、器ごとラップをかけて冷蔵し（軽く酒だけふって）、いよいよ供す時、他の調味料をふって和え、花かつおを天盛りにして卓に出します。

白瓜のこうした食べ方は、知らない方がふえたと思います。料理記事で発表する方は絶えて拝見いたしません。玉露で茶漬けもさることながら熱飯にはむろんぴったりです。

みせられる人の手本は

大衆食堂は時代の縮図を見るようです。〝ゴチソウサマ！〟と店を出る時はたいてい面白さと、嘆きなどが入りまじったおつりをもらうことになります。先日間に合わせで、鎌倉の裏駅付近のそば屋に入りました。お客さんは、観光客と付近の勤め人が半々だったかしら。

頼んだせいろが中々来ないので、つい順ぐり、お客さん方の召し上がりっぷりを、見るともなく拝見していました。誰も彼も、揃って麺という単品を、右手の箸を上げ下げして、ひとえにすする動作に専念する有様は、全員スパゲッティをフォークにからめる状況と比べ一層迫力と面白味に富み、見応えがあります。

天ざるをお召し上がりの老夫婦のおばあさまの左手は、終始そばちょこに添えられることなく、テーブルの下にありました。そばはソシャクなさり、その間ちょこから、全くお顔が上がりませんでした。食べ終わる迄御夫婦は目を合わせることなく、したがって会話もありませんでした。私のまん前はお役人風の二人。揃ってタヌキを注文、共々空腹のせいか、ごっそりそばをとり上げます。こんがらがった毛糸玉を口におし込むようになってくるのは必定で、とうとう、一人のひげに、あげ玉と葱がひっかかってしまいました。前に座る女《ひと》が美女でなかったせいもあり、食べ終わる迄、私は無視されました。

インテリ顔の学生も入ってきました。「ざる！」とたのみ、座るやいなや、左手の文庫本に集中。「はい、お待ちどお」。彼は盆の上を一瞥し、右手で箸をさぐります。箸袋ごと口へ、袋を門歯でくわえ、箸を一気にひき抜く。抜いた箸は犬歯でかっきりはさみ、パチリと割る。この間、ずーっと読書三昧。

ひとかたまりのおば様連、レインハットのままもいらっしゃった。おみ足のお行儀を見たら、召し上がりようも見当がつき、観察はあきました。丁度、私のせいろも前に置かれ、〝さて、今度は私の番か〟と、つねになく意識して箸を運んでしまいました。

若死した叔父に、そばキチ・すし通がいました。遊びに来ると、姉さんなる私の母に経験談をします。話の半分以上は〝味〟より〝食べっぷり〟の話でした。

「そいつは、そば二筋程を箸にかけ、つゆは先端に五分程、絶え間なくつるつるで大盛り二枚、独特の食い方だったあ」など。古来（？）江戸ッ子は、そばは、小粋に小気味よく食べたい願いを持っており、相客の間には一種の競争意識すら働いていたものです。

箸さばき、ちょこを持つ左手の人差指の使用法、加うるに出来るかぎり低音ですすることなどなど――平民の心意気だったけどナァ～。

いたずらに、想像の世界で当節、そばの似合いそうな役者・俳優に、そばを食べていただいてみました。審査は、むろん六代目菊五郎。

終って、六代目は、「次回は、落語家を招きましょう」と言われました。私もにっこり賛成しました。〝食べてみせる、飲んでみせる〟。みせられる人の手本が今の世は少な過ぎると思います。

お茶を通じて

「そろそろお茶にしましょう、お茶は何が飲みたい？」

「久しぶりに先生お紅茶！」

お弟子さんはどなたも可愛いが、ことさら内弟子は娘のよう。卒業し独りでいる娘、またたく間に双子を抱くようになった娘。遊びに来る時は互いに言いたいことを言い、してほしいことを頼み合う。

「紅茶は何がいい？」

「アール・グレイが飲みたい」

アール・グレイの大人びた香り、牛乳をたっぷりいれなさい、相変わらずこのお砂糖なんですね、などなど。会わずにいた月日の行間がこんなやりとりでほぐれてゆく。

「あーなつかしい紅茶の味。しっかりしていてくどくなく……どうしたらこういういれ方が出来るんでしょう」

「自分でもわからないけどもしかしたら〝気〟でいれているのかも。ほらインスタントカメラが同じ条件で写し手次第、一つは名品、一方はただ記録。それに似ているところがあると思うのよ」

「料理をする時の心のこめ方、つまり気のいれ方は、もしかしたらお茶を美味しくいれるところから始まるかもしれないわね……」

雨にとじ込められた夏の日の四方山話から、今回の主題は生まれました。

道元様は食物を作るという、至って日常的な中に、深い神秘的な意味を認めておられ、「典座教訓《てんぞ》」という、世界の宗教界に類のない著書を遺して下さいました。

真心こめて料理する——即ち料理は〝真心の工夫修業〟——終いには「もの来たりて心にあり、心帰してものにあり」と物我一如の心境を書いておられます。

〝気をいれる、真心こめる〟まことに宙をつかむような言葉だと思います。

しかも、ことは真心にかかわるので、真心がこもっていないと言われれば、悄然《しょうぜん》たるものです。

私も若い日に母から「クリスチャンのくせに真心のこめ方を知らない」と掃除の批評をされ、幸い真心がない、真心が足らないではなくこめ方と言われたので、一条の救いはあったものの、真心のこめ方とはどうしたらよいのかわからず困惑したものです。

今にしてどうやら〝こめる〟を、例をお茶をいれることでお話し出来るかも……。

まずそのお茶をよく観る——自分の知識を集約して理解しようとする。その葉茶を噛み含んでみるのもよい。その上で法則にかなったいれ方、たて方を注意深く丁寧に行なう。これだけのことです。ゆきつくところ——美味しいお茶を——は、よい願いには違いありませんが実は執着でもあります。むしろよさそうな願いからも解き放たれ、淡々とお茶の身になりなすべきことをなし、結果はお茶そのものにゆだねる。

料理全般に通ずる呼吸、物我一如もこのあたりにあると言えます。

しっかりと、けど軽やかなお茶にもなります。

旬の真意

この夏の終わりに、鮭の縁で、北海道西別川《にしべつ》の源流である、摩周湖の伏流水にこの手を浸してみたいと、長い旅をいたしました（摩周は湖畔までゆけませんし）。

湧水をたたえるあたりは森閑静寂。水晶のような水面は神秘的でさえあり、氷のように冷たい水を掬《すく》い咽をうるおせば、別格のやわらかさ、摩周からこの地点まで地下をどれ程の年月を経て達したものやら、おそらく数百年を数えた水と考えられます。

水は小さな堰から命の音を響かせて、細い流れとなります。急な流水にもかかわらずクレソンが群れ育ち、八月の白い花をつけていました。

「ここの雪が解けはじめた頃、クレソンを摘んでこんもりお浸しにして食べるんですよ。そうすると食べる前と食べた後では、ほとんど瞬間的に自分の体が、全く変わることがわかるんです」

私は、クレソンの清冽なぴりっとほろにがい葉を噛みながら、土地の方がおっしゃった——前と後では体が変わる——を、自分の体験と重ね深く納得したことでした。その地は冬場マイナス三〇℃、とはいえ当節のことですから、野菜が不足するわけではないでしょう。冬場の大根、人参、キャベツなどの味もさして落ちるわけでもありますまい。しかし冬籠りの人間の体の生理は、人の意識を超えて、青々したクレソンの力を欲しているのだと思います。

以前、正月七日粥を火にかけ、我が家の山裾の七草を摘み、きざんだものを右から左へというタイミングで七草粥に仕立てたことを記したことがあります。

この時やはり、クレソンを食べる方のように、自分の体と食物の呼応を実感しました。

昔々の摘み草も、そのすべてがのどかなものであったわけでなく、一日も早く芽吹いたものの栄養素を体に採り入れなければならぬ、命がけの仕事であった地方もあったそうです。

従来「旬」という言葉は、日本の食体系の表現の一つ。常食を美味しくいただくためには旬をふまえてという常識、又は美意識の範囲で大切にしていましたが、年齢と共に、自然と人間の共生共栄、四季の移り変りと人間の生理代謝のリズムは、寸分たがわず歩みを共にするという実感を持つようになりました。「旬」に感謝し、その恵みに積極的にあずかろう。共に歩めば生きやすく、逆らいがあればきっと支障をつくり出すと思うようになりました。

食物と自分の体が呼応するほどのものを食べる、食べ込むことの重大さは、おそらくあと三十年程しないと公の答えは出ないかもしれない。その答えは是非正直であってほしいものです。

けれども今の食状況では公の答えが出た時は遅すぎ、とり返しがつかぬことになってしまうのではないでしょうか。旬を絵と文字でしか経験出来ぬ人、無関心な人々、これらの人々が失いつつあるものは、養われ損なった身体細胞のみでなく、人生航路を理屈を超えて楽しく、その人でなければはたせない使命をはたしながら生きてゆくアンテナ、触覚の未発育につながるのではないかと案ぜられてならぬのです。

「クレソン食べると」を身にも心にも溜め込んでいる人間が、今の世のリーダーになれる資格だと思います。

夏休みの味の極意

打水、縁台、蚊やり、あかあかと備長《びんちょう》の火。大盛の夏野菜の籠、ビールの氷桶——。みんなの顔が揃えば、肉の皿が運ばれます。

「今夜はおじいちゃんのビフテキなんだって」

「おじいちゃんのビフテキって、なんだ?」

「ほんとはね、ひいおじいちゃんが、僕達のおじいちゃんに焼いて食べさせたビフテキ」

肉はてのひら三つ分ほど、厚さ三㎝。ところどころにニンニクの小片がさしてあります。

「こんな大きいの一人で食べるの」「いいえ、焼けたら切り分けて、みんなで食べるの」

肉は、生醬油ぬりぬり、外はこんがり、中はミディアムに。

「焼けても、すぐ切っちゃ駄目よぉ——」

熱くあたためた皿の上で、一服させてから切ります。すぐ切れば、美味しい肉汁が流れ出てしまいます。肉汁が落着くのを待つのです。

「あいだあいだで野菜もお上がりなさい」

今夜のとうもろこしは、ハニーバンタム。おばちゃんが、もう三時間前から、皮もひげもつけたなり、塩水バケツにつっ込んでいます。焼く時は、皮が大切大切。けして一枚もはがしません。

「こんな風に塩水はしごいて、しぼるのよ。やってごらんなさい——」

なりつきの方から、先の方へと握り込んでしごくと、水がこぼれます。そのまま、時々向きを変えて焼くだけ。とってもシンプルでしょう。

けど、とうもろこしの食べ方の極意なのです。皮をくるりとむいたのを、裸のまま醬油かけかけ焼くって、まだらこげのこちこちを食べて泳ぐなど、胃袋はたまったものではありません。

塩水につけ、皮でほっこり包んで焼くのは、ほんのり塩味、ふっくら、ぷっちり。肉を食べようか、とうもろこしを食べようか、迷ってしまう。

——芳子さんって、なぜこんなこと知ってるのかなあと、ちらっとでも思って下さる方があれば、うれしい。

〃醬油やきは、香りはよいけど、ちょっと困る。茹でたものは水っぽく、蒸したものは、たよりない〃。子供の時分から、ひっかかっていました。

〃皮ごと塩水に〃。これはアーリー・アメリカン——おそらくネイティヴ・アメリカン方式では——と一言聞いて、全く同感。以来、二十年、満足しております。

同様に、曾祖父のビフテキも、牛肉料理法の王様。南フランスが第二の故郷であった人が、若き日の暮らしをしのび、家族に肉を焼いて食べさせた。やはり、どこかしら、極めつきの方法です。かけがえのない手法は、おしなべてシンプルのような気がいたします。

終わりに、バーベキューを楽しむ時、ビールは軽いものより、ドイツ風のこくのあるものの方が、お腹がだぶつかなくて、よいのではないでしょうか。

ヱビスビールを御存知ですか。好きずきですが、おすすめしてみます。

涼しさのもてなし

よく冷えた琥珀《こはく》色の梅酒は、ごく小ぶりのグラスに氷片一つ落として。

おしぼりは、すす竹の籠に共蓋を添え。

床《とこ》には、涼やかな花のとり合わせ、そこはかとない香のかおり。軒先に下げたすだれ越しの光は縁をへだてた部屋にかげりをつくり、盛夏の道を来たものをいたわります。

――もの静かな涼しさの表現――

とりあえずの梅酒、多からず少なからず、冷やしたものに氷一片で冷え加減を保たせ、氷がとけぬうちにいただき終えます。使ったあとのおしぼりに蓋をきせてお返し出来る心にくさ。こんなお迎えつけをうけて、あの日の夕食は始まり、二十年経た今もありありと印象は薄れません。

近頃の私達の消夏法は冷房よりで、建築設計をなさる方も、その土地その土地の風道のことなど下調べなさる方は減ったようです。

秋の不調は、冷房が原因のことが多いよう。エネルギーのこともあり、風通し、床の高さ、ひさしの寸法、縁側の効用など、考え直される時がくるのではないでしょうか。

食べものに就いても、日本の高温多湿をのりこえる瓜の食べ方――昼は冷たく、夜はあたたかく――とか、お八つにつとめて小豆を食べるとか、「菜の絶間にあるゆえに不断草と名付くるなるべし」とある〝ふだん草〟〝つるな〟の胡麻よごしなどの夏の菜の食べ方。サラダで安心とも言えないのです。

飲みもの――ビン・缶でお茶類が出まわりますようになり、人を招いても、プラスチックのビンなり、お茶を出される方もいらっしゃるとか……。

人はひと度やすきにつくと、Uターンは倍の克己心を要し、苦労するのは本人なのにね。お弟子さんで大麦を麦湯用に御自分で作る方があり、私にも一夏分をおとどけ下さいます。

鉄鍋で炒り置き、炊き出しますが、やさしい香ばしさと、大地そのものの旨味は類がなく、里帰りした時のようなくつろぎを覚えます。私の夏の一番大切で大好きな飲みものは、自然の麦湯と言えます。

お客様が意外に感激して下さるのは、氷でいれた煎茶。時間がかかるので急の間に合わぬところが難ですが、煎茶の持ち前は充分いきます。一人分煎茶大匙一杯程、氷は水にして三分の一カップ強。これをお替り分も加えて人数分。

急須又は土瓶に入れ、冷蔵庫の上段に置きます。氷がとけて、お茶が滲出するのに、五、六時間かかるけれど、びっくりするほどあまーい二口程の冷茶となります。

玉露用又は煎茶用の茶碗も冷やしおき、人様におすすめいたします。「目がさめるよう」とおっしゃる方が多いこと。

冷蔵庫内だとまだるっこいと、常温に置きたくなりますが、同じお茶と思えぬ程苦くなります。三時のお客様には、朝のうちからの段取りとなりますが、手はかからぬから苦はありません。時代に逆行するのも一種の消夏法だったりして。

秋の章

初秋のたのしみ

夏の終わりのさびしさ、浜辺から子等の声が消え、あれほど咲きつづけた、ほうせん花、松葉牡丹、おいらん草も花の数を減らし、蟬の声も細ってゆきます。

凋落の姿形に囲まれてか、この旬日、一年でもっとも心がなえて困ります。

キャンベルの黒々とした房の山にゆき合うのは、きまってこの季節なのです。

――こんな時、手仕事の術を知り、働けるのは、なんという救いでしょう――

毎年、ジュース用にいく房扱うでしょうか。私自身は夏の花のように、元気のひとかけらも感じてはいないのに、あれは、手がぶどうを欲しがるのでしょう。つづいて、習慣だけで流し元に立つのです。

愛らしく、ぷっちり実ったキャンベル。房から摘み、くりかえし、くりかえし洗います。洗いはじめると、ころころ、ころころ、両の手の中で、うれしいことでもあるように、はずみ返るのです。

実りの手応え、感触は、私を大地と一つにするのでしょうか。ぶどうを炊く高貴な香り、果肉を袋に移し、つり下げる面白さ、したたり落ちる露を受ける期待。入りまじった感興にのって、知らずしらず、秋の門口を気力をとりもどしてくるようです。

――もの言わぬものの力を想います――

キャンベルは、これを作る人も、売る人も買う人も、真価を発掘せぬまま、食べにくい品種として敬遠され、今に作られなくなってしまうのではないかと案じています。

しかし、ちょっと手をかけ、ジュース、シロップ、さらにジャムになさるなら、その芳香、重厚な味の奥ゆき、女王級の仕上がりにほれぼれなさらぬ方はないと思います。

次に、ジュースの作り方を紹介しましょう。

キャンベル正味一・五kgは房からとり、何回も洗う。

① ほうろう鍋に水二カップとぶどうを入れ、中火の強の火加減でぶどうを軽くつぶしながら煮る。煮立ったら弱火にし、三十分ほど煮る。

② さらし袋に①を入れ、口元をきっちりしぼって、つるす。下に器を置き、したみ液を受ける。これに白ざらめ（ぶどう正味の八〇％）一・二kgを入れ、砂糖がとけてから、弱火で五分煮る。酸味がたらぬようなら、飲む時レモン汁を少量加える。ベリーAで代用は、甲斐のないこと。八月二十日過ぎたら注文し、試作なさってみて下さい。

よすがとしての行事食

二百十日を胸なでおろし見送ると、光の美しさに心を奪われる旬日がめぐってきます。透明にきらめく光は、かならず楽しい影を伴います。風にのり、光と影は、追いつ追われつ踊ります。もみじの枝のさやぎの中で、くるくる、くるくる笑いころげるように。敬老の日、秋祭りは、こんな日々の中にあるのです。

「お赤飯炊くから、小豆を水にお漬け、ちょっと切りするめも切ろうかね。お煮〆用の野菜は揃っているかい」(昨今、こんな采配用語でもの事を命じうる人が減りましたね)

あたたかく、もっちりしたお赤飯、大鉢にお煮〆、香ばしい自前の切りするめ、青菜の胡麻よごし、ひね沢庵、紅生姜、お多福豆の二つ三つ。無理のない御馳走でしょ。飛び入りを歓迎出来る献立でしょ。

行事食は変わることなく定番であるところに深い意味を見出します。第一に回を重ねるから料理は年々美味しくなる。手馴れたものは、段取りが立ち、不安まじりにならぬから、主婦は疲れず機嫌がよい。度々くりかえせば、自然に伝承されてゆく。定番はふしぎに集う人々に安心を与え、食べものをよすがとして、何時の間にやら家族の絆がかためられてゆくなどなど。

行事食は変えずにと申しましても、一から十迄をさしているのではありません。主体となるものは変えない方がよいと申しているのです。私も後先は、年々の思いつきで、自由自在にしております。

煮〆はおろか、煮炊きものは苦手とのお顔が浮かびます。思うに、それは、前提条件の出汁でまごまごなさるのかな……。又は料理本の〝四人前〟にとらわれ、労多く、効少なく、嫌気がさしてしまわれるのかな……。

四人前は、あく迄目安。外国をひき合いに出したくはありませんが、六人から八人というのが彼らの判断、これは自然だと思います。

想像いたしますと、なんらかの形で大根の炊けない方はないと思う。ところが里芋となると二の足をふまれるのではないでしょうか……。洗う、皮をむく、手がかゆい。ほんとにやっかいな三段階です。けれど日本の煮炊きものに〝里芋〟は欠かせないのです。なぜならとにかく、栽培の起源がわからぬ程、歴史が古く、コメ以前の常食だったからです。

里芋のムチンは長寿食の条件も備えているそうですし、先の三段階を改善してみねば……。

事前に芋を水に漬け、土をほぐれやすくする。よく洗ったものは笊ざるに並べ干す。半乾きの状態で皮をむく。

手は全くかゆくならず、思うように皮がむけます。この処理で油揚げと大根と里芋を一緒に炊いてみて下さい。山形風の芋煮をなさってみて下さい。出汁がひけ、お芋に馴れればきっとお煮〆が作れます。

絆は、よすががないと育たないのです。願っても思っても、よすがは、不思議に身体でないと表現出来ないのですから。

茗荷の処理法

鎌倉は土地柄、どちらのお宅にも茗荷が出て、重宝していらっしゃることと思います。夏茗荷はもう終わってしまいましたが、秋茗荷は夏茗荷よりしまりがよく、あずき紫の色も美しいこと。

それに収穫の頃が八幡様のお祭りの頃。祭りのざわめきと、とりかぶとの心さそう紫、白狐のしっぽのような晒菜《さらしな》しょうまに囲まれながら、毎年茗荷とりをするのですけれど、ちょっと心にしみる仕事です。

バケツに二杯程とれることもあり、お福分けはするものの、それでも保存食にすることを考えますのは当然で、茗荷に義理だてして随分柴漬けを作りました。寂光院式です。しかしどんなに注意を重ねても他の漬物にないかびがきて、どれ程樽のふちを捨てたかしれません。母が解決策の浮かばぬまま、それこそ浮かぬ顔で始末していたのを思いだします。

私が受継ぎ、思案するうち、かびの元凶は茗荷、土中のなにがしを美味しいひだの間に隠し持っているらしいと考え、殺菌の手だてを考えました。

まず「魔法の塩水」と呼んでいる塩の濃度で塩水を煮立てて冷まし、これに三日間重しをのせて漬けます。あく、その他のよくないものが滲出しますので、水洗いして、水を切り、再度三日間塩水に漬け、また水洗いします。場合により、再び塩水に漬けることもあります。

次に、好みの甘酢に火を入れて仕立て（酢に塩分は全く入れない）、その一部分を八〇℃以下に煮立てます。これで茗荷を六、七分かきまぜつつ加熱し、広ぶたのようなものにとり出します。粗熱がとれたら消毒した容器にきっちりつめ、甘酢（消毒に用いたものも冷まし使う）を上からそそぎ、容器を冷水につけて含み熱をとり、冷所に置きます。

「煮る? 煮てしまうの……」と異口同音にびっくりされますが、低温殺菌は殺菌としても有効で、ふしぎに歯あたりを失いません。

だから、らっきょうもこの方法で作ります。この処理をすると、年月を経ても、らっきょうの中心がぐみぐみになりません。

茗荷もしゃり感を失わぬ和洋に使える漬物になります。これをそのまま用いたり、四方八方に使いまわしていくのです。フランス風のラビゴットソース、イタリアのサルサ・ヴェルデにきぎみ込んでもよし。

先の柴漬けにはどのように使っていくかと申しますと、考えてみれば、寂光院は夏茗荷で作られるので、茄子、胡瓜、赤紫蘇などすべて旬が揃います。私のところは秋茗荷を使うので、赤紫蘇は盛りを過ぎ、夏の疲れがありありで、無理して使わぬ方が得策と考え、私は寂光院式の自然醱酵から離れました。家族構成のこともあり、一樽は合理的でないこともあります。それで、赤紫蘇の成分を含んでいる赤梅酢を用いて、即席風で、茄子、胡瓜の美味しい間、一週間分くらいの押し漬けにしています。自然醱酵の深みはありませんが、赤梅酢を用いるのは清新です。材料は、茄子、胡瓜、甘酢茗荷、ししとう、古くなった紅生姜、ゆかり(私はからからに干しません)。もう十五年程続けていますから、おすすめ出来ます。

弁当考

二百二十日が通り過ぎ、空がぬけるように高く、焚火のにおいがそこここからただよってくるようになると、まぜ御飯の数々が思い浮んできます。――むかご、栗、生姜、秋茗荷、茸の類、かやく。

まぜ御飯を結んで小高いところへ行こか、波の音をききに行こか。

春はおすし、秋はまぜ御飯。風土の賜と人の生理はいつも手を携えているようです。私達は弁当好き民族で、弁当むきの御馳走を数々知っています。終には蒔絵の組重、そろいの酒つぎ、盃、外箱の中仕切りは給仕盆、蓋は銘々盆、というところまで凝ってゆきます。

昔々の大昔、旅や戦に下げて行ったものは雑穀の類。五穀を粽《ちまき》にする術を見出してからは、茅《かや》の葉、笹の葉、水辺の葦などで愛らしい形にととのえ、食べよく保存性にとんだものを人々は重宝したのでした。

家にあれば笥《け》に盛る飯を草枕旅にしあれば椎の葉に盛る

万葉集

このあたりの有様でしょう。

ずっと時代が下がり、わっぱの類、柳行李、これを網袋に入れて野山の仕事。海仕事には小さな樽（これは難破した時の浮き代わり）などが平民の間で使われるようになりました。

一日の労苦の無事を願い、女達がこれらにつめたものはなんであったでしょう。

主食は玄米、麦、粟、ひえ、きびなどをとりまぜたもの。お菜は手前味噌なめなめ、と干し魚程であったか……いえ縄文時代から、今私達の食卓にのぼる魚は鯨をはじめとして、殆どすべてであり、貝などは実に豊富でした。

海藻から塩分をとることも知っていました。だから、その頃は本ものぎっしりの弁当であったかもしれません。こう考えるとうれしい。

茅の葉から蒔絵の組重に至る道程は千五百年以上か……。内容と様式の進歩が両輪となり行く道は楽しかったでしょう。風土とそこに住む人間との関わりは、知れば知るほど興味つきぬわけが、ここにもあります。

弁当の発達についてはは様々な見方がありましょうが、異国のものと比べると日本の食材、特に米飯と調味料が推進力であったような気がしてなりません。

米飯とパンの最大の違いは、御飯は飲物が少量でも食し易く、パンは倍以上の飲料を必要とします。米飯は腹もちもよろしい。

お菜は醬油、味噌、酒類、梅干しなどで、野菜の煮〆や佃煮が作れ、御飯が美味しい。魚肉類は照り焼き、焼きづけ、味噌漬け、粕漬け。なんと申し分ないことでしょう。玉子も醬油、味醂のお蔭であの玉子焼きを作り出しました。

パンの国は、ハム、ソーセージ、パテ、ロースト肉などを持っていますが火を通した野菜は限界があるようです。ピクルスも日本の漬物の種類に及びません。ファーストフード競争の時代が弁当文化をどのように方向づけられるか、しっかり出汁を使い保存料は使わずにね。

初秋の香り

とどまればあたりにふゆるとんぼかな　　中村汀女（昭和七年　於横浜）

当時私が通学していた東京港区の学校でも、校庭を走りまわると赤とんぼにぶつかり、秋空のうつる水溜りなら素手でつかまえることが出来ました。最近鎌倉は浄明寺あたりでも、とんぼのふえる頃がもどってき、そんな日の夕方は、ひんやりと人恋しさをかきたてるような初秋の香りが谷戸にたれこめます。

香りに誘われてなつかしむのは叔父が連れて行ってくれた栗拾い。

母の弟は長男という自覚の故か、ほやほやのサラリーマン時代から面倒見がよく、ためになる映画を教育映画と言った頃、まず映画を見せ、すしを食べさせ、小間ものなど買ってくれました。ちんぷんかんの子供に『平野屋』で赤いスエード、内側は江戸紫の財布を買い、この店の金具はと言い添えました。芋ようかん、佃煮、煎餅、中華料理の穴場などを「覚えとくといいよ」で結んだものです。

恒例行事のように一族を連れて行きましたのが栗拾い。昼食後は芋掘りもさせてもらいました。

グラジオラスが色とりどりに咲く、叔父の友人の農園、夕暮れの芋畑は、ほれ、あの秋のにおいで一杯でした。

やがてこの国に戦時の七、八年に及ぶ飢えの時代がやってきて、芋畑の出来は切実熱心なる話題となりました。天国の青木昆陽先生※は喜ぶべきか歎くべきか困惑されたことでしょう。

近年、さつま芋、かぼちゃは緑黄野菜の女王としてのみでなく、癌の発生を抑えることまでわかり、飢えの時代に〝代用食、またか〟の思いで食べたことが恥しい限りです。

女子栄養大学の香川綾元理事長は、焼芋を毎朝一切れ召し上がったとか。毎朝というところに御留意下さい。

私は、どうしてもじゃが芋党。だからじゃが芋七、さつま芋三くらいの割合でとりまぜ、圧力鍋で四、五日分蒸し、なしくずし式に展開して使ってゆきます。

栂尾煮の一切れ二切れも大好きですけれど、小人数の甘煮はいかにせん味になりません。精進揚げにして大根おろし。又はさいの目切りを、芝海老と共にかき揚げにしますと、なんとも相性がよい。天ぷら屋さんのやらないかき揚げですけれど、海老がふえたようで、これは天つゆとおろし生姜で召し上がれ。食べ盛りのお子さんのお八つにおすすめしたいのは〝丸揚げ〟、程よい大きさのを三、四本一度に揚げる。揚げものに鍋蓋をきせる方は少ないようですが、鍋蓋を用い、火力は中火かやや弱め。ゆっくり揚げます。これを輪切りにし、一片のバター、ちょっと砂糖をふってすすめます。メープルシロップならにっこりだし、メープルバター（メープルシロップを煮つめてバター状にしたもの）なら御の字。名づけて「スイタポテト」。再発見した美味は、さつま汁に入れたさつま芋の偉力で、ずっと敬遠し、じゃが芋だけで作ってきたのを悔んでいます。それにつけても、おさつはもう少し安く買いたいな。

※江戸時代中期の蘭学者。救荒用としてさつま芋の栽培を普及させることを説いた。

風のつくる味

日本の雲とナポリの雲は、世界でいちばんきれいなそうです。このこと御存知でした？光に染まる、行く雲の美しさを、しみじみ目の底にためた先祖達は、絵柄の上にも、雲を図案化せずにいられなかったようです。

雲を見る楽しさは、風あってこその面白さですのに、今年は雨の中で、木犀《もくせい》が咲いて散りしきました。二百二十日過ぎから、十日程、衣替えしたような風の季節でありますのに……今年はもう何処かへ行ってしまったでしょう。けれど、風のつくる味の季節はこれからです。これから十二月中旬迄、秋の魚の風干しの季節です（冬も干せますが、魚が減り、従って高いものにつきます）。

干ものは売ってはいますが、生身で食べられる程のものを、好みの塩加減で、風干ししたものは、〝間違いなく旨いものの一つ〟と言い得るのです。

江の島沖から鎌倉方面、腰越《こしごえ》・佐島《さじま》にかけて、数少ない、細やかな味の魚があがります。

腰越から西へ行く程、味は落ちるのだそうです。鰯、鯖、鯵、かます、甘鯛、たち魚、いか等々。実例を挙げますので、手づくりなさってみて下さい。

まず薄塩の旨いのは、鯵、甘鯛。薄塩よりひいきめ塩は、かます。鯖は、脂ののり加減で手加減しますが、かますと同量くらいから、より強くあてた方がよいものもあります。いかは、いか自体塩気を持っていますから、塩はあてません。みりん干しにした方が旨いのは、鰯、たち魚。塩分をパーセントであらわすと、最低量は魚正味の三%、次が五%、最強で七%にとどめるべきだと考えています。

塩は、かならず天然塩。むろん両面にふります。ここでかけがえのないこと、一生の宝をお伝えします。

甘鯛、鯖など目玉の大きなものは、目玉と口のまわりに別に塩をなすってやります。理由は、目玉は水分が多くここから腐りやすさにつながり、口のまわりも似たようなことでしょう。

これは、長谷の『魚廣』のおばあちゃんから聞いたことです。

大きな魚の目と口のまわりには、別に塩をぬる。一生魚に足をむけなかった人が、魚にほれて考えついたこと。

こういうことを、ほんとのお福分けって言うのでしょうね。

なんパーセントの塩なんて、雑音の一種みたいなもんです。

さて、塩したものは、二重バットで、冷所で最低二時間は脱水し、魚の滲出液を、特に頭、骨の周囲に留意し、紙タオルでふきとります。

これで、魚臭のない干ものとなります。金串は尾の方へ刺し、風にあてて、表面が多少つっぱるような手応えになれば充分です。

あとは、切り方と焼き方です。干ものを用途にしたがって寸法とるのは、なかなか美意識を問われます。〝さんまの塩焼き〟――頭も尻尾もつけたなりが気にされぬ時代ですけど……。焼き方は、強火の遠火。塩焼きを焼くつもりだと、ふっくり焼けません。

栗を美味しく

拾いたての栗を茹でた、お腹のあたたまるような甘味。ぽっくらほっこり。

一日を終えた燈影で、むいては食べ、むいては食べ。むきたがらない殿様にとめどなくむいてあげたり……秋にかかせぬ暮らしのやりとりです。

晩春、栗の白い糸状の花は、遠目に加賀の獅子頭を、いくつもいくつも重ねたよう、銀色に光る頃から、黄ばんで落ちる迄、山を飾ります。

線状の花と、栗のいがはつながりにくい、不思議です。

山地の栗は、根元の水はけがよいので良質とききました。鎌倉は軟質岩盤の山、条件が揃っているせいか、家の山にも大木が四、五本あり、毎年こくのある実を、あり余る程つけます。

鎌倉の十二所にも栗林があるとか。多くの方々が御自宅の栗で、秋の楽しみ事をなさるのだと思います。

栗御飯、豆腐のおつゆには松茸、へぎ柚子の香り。かますの風干し、お添えの大根おろしには穂紫蘇をまぜ、柚子をしぼって、さあ！　いただきましょ。

典型的な秋の夕餉でしたけれど……しめじで我慢になったものもありますね。

思いめぐらすと、こんなに美味しい栗ですのに、栗料理は、豆、芋料理のように育っていません。郷土食にも少ないのです。

明治以後、豆が砂糖と結びついたように、菓子、ふくませという方向へ発達しています。いつも、それを惜しいなあと思っています。栗の含むタンニンは、あく抜きしても、塩、醤油、味噌には、馴染みにくいからなのでしょうか。

私は、何時頃からか、栗の渋ぬきに、牛乳を使いはじめています。灰汁水で一応の下処理をして、牛乳（粉乳も可）で、八分下煮をします。

煮汁がねずみ色に変化するに比例して、栗は黄味を帯びてきます。鍋の側を離れず、状態を観察しており、次々栗をそっとすくい上げ、さっと熱湯で処理し、様々の料理に用います。我ながらこの下処理にほれて、発表いたしましたが、昨今字を読みこなす方が減り、家庭のお役には立たず、大阪・茨木の渋皮煮専門店が、大喜びで拾ってしまいました。

後の調べで、タンニンは、カルシウムで解消すると知りました。

こうして作った栗あんは正月迄冷凍し（栗の澱粉は粒子が細かく、安定冷凍出来る）、ごく小ぶりの茶巾しぼりにし、きんとん代わりにお重詰めに入れています。

どなたも、牛乳臭さをかぎわけた方は、ありません。しぶ気が解消してあると、砂糖もひかえられ、栗そのものの旨味が楽しめます。

牛乳を、カルシウムと考えるより、永遠に母なるものを頼るという気分の方がよい心地ですね。それにしても、鎌倉の山を、百年の計で、守り育てたいものです。

「小豆」っていいものですね

丹波の粒よりの大納言。漆を吹きつけたような小豆色を、乾いた豆の音も楽しく、チャラチャラもてあそんでいたら、百姓百倍——私も一粒から百粒、せめて五十粒？——の気になり、一合程は汁粉にせず、時を待って播いてみました。やがて、花の色は紫系ではと思い込んでいた私の前に、目を見張るような真黄色のスィートピー形の花が咲きました。小豆の底力はゴッホ好みの、この黄色から始まるかと畠にしゃがんだなり見とれてしまいました。莢がつけば、折にふれ結実の様子を指で確かめるなど、他の豆には寄せたことのない関心で、秋を待ったのです。

乾きはじめた私の小豆は、どうひいき目に見ても期待薄でしたが、それでも私は夢を捨てず、収穫しました。

一つ莢に豆は十粒くらい並んでいましたが、一から十迄大小様々、三分の一は虫がなめていました。色も濃淡とりどり。全体量カップ三杯。

「あんなに虫がつくとは……」と驚く私を、北海道育ちの友人は「小豆の畠は、虫が寄らぬよう、いつもいつも清潔にするもの」と呵々大笑しました。

夢はついえましたが、「小豆の価格」の理由は、これで手にとるようにわかりました。

九月は天候も定まらず、夏の疲れのとりきれぬ季節。菜食一如の心がけで暮らしたいものです。

古来、小豆は脚気、特に妊娠脚気に卓効ありと言われました（特殊な炊き方あり）。便秘、二日酔、肉の中毒、動物にかまれた時の毒消し、母乳の不足。一日、十五日に小豆御飯を炊いたわけは深いのです。

小豆御飯をくどいという方がいらっしゃるが、あく抜き次第。一種の風味のはず。特に大納言は腎気を養うそうです。現代食生活のゆがみを、ケーキより茹で小豆のお三時で。定期的な小豆御飯などは、以前より必要かもしれません。豆料理の基本は総て茹で方にあります。

小豆は茹でにくい部類でなく、今年豆なら前晩から浸水。水を替え、中火で煮立ったところで再び水を替えます。やはり中火で、煮えがついたら、びっくり水をさします。蓋をきせ、ことこと。茹で小豆の場合は、渋気の様子みいみい二、三回水を替えます。小豆御飯、さらし餡《あん》を作る場合は水を替える必要はありません。

小豆御飯は、八分通り炊けたものを茹水と共に使います。茹小豆は、砂糖はひかえめ、塩はややひいきめ、食べやすく切ったさつま芋や、小麦粉のダンプリングを落して。家庭ならではのお八つと思います。私は小豆が大豆や隠元のように作れないことがわかってから、小豆の支払いに寛大になりました。皆様も価格にこだわらず、その分御自分で御飯を炊いたり、お萩を作ったり、なさって下さい。

手づくりの餡の魅力

あの頃のお彼岸時分の庭の色。大人の胸より高い葉鶏頭の群生——赤という赤を投入したような真紅。黄色のつくり出す、ありとあらゆる橙《だいだい》色。橙をひきたてるやさしい緑——。

葉鶏頭の頭は、羽根を束ねた冠のように、はらり、ふっさり、風が吹けば華やかにゆれた。鶏頭をかこむのは紫のゆうぜん菊。

お萩の材料一式が、敷きござの上に並ぶのは、きまってこんな色の祭りの真只中、手の上のぽったりお萩の心地よい重さも、つい上の空となるのでした。「お萩をおんなじ大きさに作りたければまず御飯を同じ大きさにとれなければ」「手はここを使って、最後の形をととのえる」。母は、右手の小指にそった掌の側面をなで示しました。左掌の上に、この側面をひたとあて、お萩の胴をあしらい回転させると、品よい楕円におさまります。手・足の動きを言葉にするのはもどかしいもの、まして餡のさらし加減の解説など、いかにもじれったいものですが、前回で小豆の茹で方を申し上げたから、こし餡のことをお書きしてみましょう。こし餡を作るには、目のあらい裏漉し、目の細かい裏漉し、それに袋縫いした天竺木綿の漉袋《こしぶくろ》が必要です。

さて、解説は、小豆は理想的に炊けたものとして書かせていただきます。

① ボールの上に目のあらい裏漉しをかけ、小豆をあける（茹汁の中には餡がとけ出ているので捨てない）。小豆は熱い間に両手でもみつぶす（手を用いる方法が、もっとも豆の風味を損なわない）。時々水をかけながら、つぶれ出た餡と水を下のボールに受けるようにする。小豆が皮になる迄、時々水をかけながら餡をもみ出す。——若し、下に受けているボールが一杯になったら、別のボールを用いる——。

② 次は、目の細かい裏漉しを通しながら、布袋に餡の水を入れる。これが本漉し。小豆の細かい皮が、これで完全にとれて袋の中になめらかな小豆餡の元がたまっているはず。袋の中の水と空気をしぼり出し、いよいよさらしにかかる。

③ 大鍋又は桶に水を張り、左手で袋の口元をきっちりひねり、握り、餡の袋を水に沈め、右手で袋をもむ。おいおい水にあくが滲出してくる。さらしながら途中であんを味見し、さらしの程度をきめる。小豆の風味、色と香りを失わぬようにせねばならない。同じ出所の小豆でも、新とひねでは、やわらかさ、あくが異なってくる。したがって、さらしの水を何回替えるかは、その時によって異なる。

④　餡の煮方　さらした餡は、袋をしめ上げかたくしぼる。袋の外側を平手でたたくと、袋についた餡が、餡のかたまりにつき、すっぽり袋から取り出せる。定量の砂糖と水で蜜を作り、餡を入れてねり上げる（配合はみな様のお好みで）。蜜でゆるんだ餡は熱するにつれ、噴火口のように、餡をとばす。私共は、鍋に対して大きめのしゃもじを用い手前から向こうへ、ぐっぐっと鍋底をこすって筋をつけ、しゃもじの周りから熱気を逃がすが、中々好都合、焦げつかず、火が通る（五分おきくらいに鍋底をこする）。指先に餡がべったりつかぬようになったら、塩ひとつまみ入れて仕上げる。

この餡を元に、御膳じるこ、お萩、水ようかん、くず餅（餡入りが素敵）など、何にでも展開出来ます。菓子作りは是非幼い方をまじえ、手から手へ、いわゆる習慣でなく、少しでも伝えるという意識を持って下されば、ふしぎに遺産となるものだと思います。

秋の喜び

この秋は茗荷も穂紫蘇も栗も、整然と台所に収まり、うれしく胸をなでおろしています。

これはひとえに内弟子の博子さんのお蔭です。遠く種子島から憧れを持って入門し、持ち前の真面目・几帳面・感覚の鋭さで、一年で長足の進歩をしました。

野山のものの採集は籠を用いますが、籠に収める収め方からして、博子さんです。「穂紫蘇を阿部なを先生にお送りしよう」と赤紫蘇の穂を摘んでもらいました。

今年は日を空けず摘みつづけたから、たしかに穂は揃えやすいのですが、花穂を愛らしくつけ、やわらかく、あく気のない若い実をつけたものを、ごく自然にふんわり籠中に、しかも敏速に揃えたのです。

なんでもないようなことだけれど、すべてはこうしたことから始まります。

形が見え、見えたものを掌中しうる人は、何をさせても一角《ひとかど》になれる。現今は見えない人、見えても手の届かぬ人だらけになりました。

阿部先生は、こうした旬の生命の通うものを無上のものとされる方で、八十四歳とは思えぬはずみのある電話を下さいました。

「さっそく塩漬けに」と言われたので、その前にせいぜい大根おろしにしごき込み、秋茗荷の薄打ちと合わせ、カボスやスダチをしぼり込み、至って香り高く、鯖、さんま、鰯などを召し上がってと申し上げたら「それはそれは、今までに思い及ばぬおろしの食べ方、つい習慣通りのことをする気になって」と、すぐなさる気配をおみせになりました。

大根おろしに秋の香を添えること――菊やら茸やら――あきあきするほど書いてきまし

たが「お蔭で」と効果を聞かせて下さる方はめったにおいでになりませぬ。「男の台所」として、ちりめんじゃこ、花かつおを添えれば健康なる酒肴に。豆腐の揚げ出し、天ぷらに添える。フライものにはサラダ代わり。読んで「うまそう」だけでは体の養いになりません。一歩とは言わない、半歩ふみ出し、紫蘇の毒消し薬効を体にとり入れましょう。男の台所に欠落しやすいのは野菜で、〝今日の野菜〟を考えれば、肉や魚は自然についてくるとさえ言い得るのですから。

博子さんが我が家用に摘んでくれた穂紫蘇は、手近なところで、レタスのサラダ・トマトのサラダにふり込みます。姉妹であるバジリコの花はどうしても使えません。

紫蘇の実の佃煮もなん瓶も作りました。

これはほんとに美味なるもの（昔々、汁粉屋で甘味の合の手にかならず用いた）。実のとれとれを塩であく抜きし、本みりん・醬油（ヒゲタの玄蕃蔵であればなお良し）・水・梅干し・とうがらしで炊く。

新米の炊きたてにちらせば、お菜はいらない。六歳になる甥の息子に一瓶分けたら、ちょっとつまんで「うあー、これは御飯とよく合うよー」と瓶をかかえ、小おどりして行きました。初めて口に入れたはずの紫蘇の実の佃煮と御飯を瞬時に結んだところが可愛くて……。この秋は、二つの若い感性が私を心より、喜ばせてくれました。

大豆を見直す

〝枝豆を枝豆という種類の豆だ〟と思い込んでいらっしゃる方の多い時代となりました。大豆を敬愛のあまり、「豆さん、お豆ちゃん」と人称呼びするところまで、豆とつき合った私共の御先祖さんは、さぞ苦笑していらっしゃることでしょう。

枝豆を枝豆という豆だと思っていらした方にお話ししてみましょうね。どのような穀類・豆・野菜でも、はじめは野草的存在、つまり原生種でした。摘菜と言ってね、人々はそれらを摘んで食べていました。そのうち摘菜の中で都合のよいものを半栽培し、やがて本栽培に移行したのです。大豆原生種は日本にもありました。でも栽培大豆発祥の地は中国東北部からアムール河流域、あるいは中国の華北か華中かと言われています。中国に於ける栽培の記録は、二千六百年前に認められていますが、四千五百年前という説もあります。

人類は、努力家揃いですね……。日本への伝来は縄文時代と考えられています。

縄文時代に中国人が航海に使った船とは一体どの程度の船だったのでしょう。彼らは漂流して日本へとたどり着いたのでしょうか、それとも海の彼方へ、抑えきれぬ憧れを抱き、船出したのでしょうか……。海図もコンパスも磁石もない時代に、風と潮流に体験をゆだねて海に出る、感動を禁じえぬ、人間の素晴らしさだと思いませんか……。人工衛星の数倍も……。

その船の積荷に一袋の栽培大豆もあった。当然彼らの食料品としてね。日本へ上陸し、言葉の通じぬ日本人に食料の中から種子を分け、蒔くことをすすめた人がいたのでしょうか。栽培大豆は、きっと育てやすく、収穫も多く美味しく、日本人の興味をひいたに違いありません。

成程と合点。得心のいった人々が、次から次へ分かちあい、交通不便にもかかわらず日本全土へ拡まり、味噌・醤油・納豆・豆腐・ゆばの類となり、様々な豆料理も生まれ育ったというわけです。

さて、豆名月を過ぎると、田のくろ豆も美味しくなり、すべてに稔りの秋を感じる季節になります。枝豆は、当節料理屋風情となり、色が主体の扱いですが、豆の旨味を感じられるところ迄茹で、あつあつでなくちゃ。冷たいビールをキュッと一口飲み終えたところへ、湯気立つ豆のざるが出るなんて夫婦相和しのはじまり。あら！　そんなこと年中やってられないって表情が見えてきますけど、実は一つの芸当があるのです。

豆は手順のよい時、九分通り茹でておくのです、けど茹汁は捨てない。必要に応じ、茹汁を煮立て、茹で置き豆を投じ、煮立つ迄火を通す。これでピッタシ。頭は生きてるうちに使います。枝豆のずんだで菓子を、パンパンに実った莢では呉汁。乾豆ではぶどう豆、五目豆、昆布との炊き合わせ、豆と貝もよく合います。ハイカラむきには、チキン・ビーンズ。

炒り豆御飯も、なんと香ばしいことでしょう。黒豆でサラダもなさってみて下さい。新豆を手に入れれば、あとは御機嫌です。

東西　秋の味覚事情

今秋しばらく、デュッセルドルフと、三回目のスペインへ行きました。味の印象をとりとめなく書かせていただきます。ドイツはじゃが芋料理の国だからと、そのつもりになっておりましたが、むしろパンの国かと思う程、見たことも食べたこともないパンが楽しく、山盛りのパン屋は立ち去りがたいものでした。パンは二百種類以上ある由です。

ソーセージとハムは、期待の筆頭でありましたが、一流レストラントの盛り合わせでも、塩辛く、ドイツ人の健康を案じた程。期待していなかったのに、今ここにあればよいと思い出すのは〝ビール!〟、あの味は言葉で表わせません。今回の旅の、味の極致でした。

「ああ！　ドイツのビール!」です。ドイツの肉加工品ではお伝えすることがなくて残念ですが、スペインのハム。あそこのハムといえば、生ハム、セラノ・ハムが有名ですが、やわらかいボイルハムでなんともいえないものがあります。ハモン・ヨークと呼び、子供用という話。しっとり、低塩で、薄く切ってよく、厚切りを焼いてよく——このハムが下段、中段は鶏のマヨネーズ、上段はトマトというクラブ・ハウス・サンドウィッチが大衆食堂で、一人前約七百円——ビールとサンドウィッチで、働く喜びは充分味わえます。

ソーセージでは、ロンガニーサと呼ぶ、これも子供用ということでしたが、脂身が少なく、低塩、香辛料もほどほどを軽く焼いた、ちょっとジュウシィな美味しさでした。

日本の〝お子様用〟とはわけが違います。

九月は、果物の季節でメロン、いちじく、梨、ぶどうが盛りでした。メロンは、ハネデュウに近い品種で、一ヶ二百三十円程。大衆食堂（ほこりまみれの運ちゃんも入る）で食後に三切れ持ってきます。

梨は、山形のラ・フランスより形は小さく不揃いですが、味は同じ。一箱四十ヶ程で二百五十円くらい。日本のラ・フランス一ヶの価格をスペイン人に話しても理解出来ないと思います。帰国して、ある植物園の関係で、ぶどうの新種、三十六点の試食会にまねいていただきました。あらゆる高級技術で、美しい姿形、香高く、味わい深いぶどうを試させていただき、大勉強、大感謝でしたが、私は晴れ晴れしませんでした。これらが一房、いくらで売られ、買うことの出来るのは誰なのでしょうか。

頂点を極めたようなぶどうが工夫されなくてもよい。けど、マスカットをデラと同じような価格で、みんな揃って食べられる国になりたいと思うのでした。

スペインも悩み多い国と思います。一例ですが、国鉄の事。マドリッド・サンセバスチアン間といえば、東京・京都間の重要さに値しますが、まだ単線。バルセロナ間も同様。回数は午前、午後二回でしたか……実に不自由しました。列車は登坂はおそく、下りは速く。車輌によっては舌をかみそうにゆれます。けど、壁をつたってたどり着くカフェテリアでは、本もののエスプレッソにクリームを入れた、コーヒーが飲めるのです。新幹線で、苦々しくインチキサンドを食べるのと、どちらが幸せか……。

願わくば、新幹線で本もののサンドウィッチと、コーヒーが適正価格で飲めますように。これを実現できるのは、ドイツの政治力だろうな〜。ルフトハンザのサーヴィスからも、充分この辺りが感じられました。

紅生姜

今回は紅生姜の作り方と保存法を申し上げておきます。赤梅酢に漬け干した紅生姜は、甘酢生姜、赤梅酢漬け生姜とは異質なものです。過日「きょうの料理」で赤梅酢漬け生姜を解説しておりましたが、あれは紅生姜ではございませんので、混同なさらないでいただきたいのです。

紅生姜を作る方が減った理由の一つは、正しい保存法を御存知ないまま、かびや粘りを表面に生じさせてしまうからではないでしょうか。手数がかかるからではないように思います。

紅生姜の美味は独特のもので、これが欠落すると、味にならぬものもあります。漬物の中で失われては困るものの一つですから、御家庭のため、さらに知友の方々にも、この記事をお伝えいただきたいと思います。

幸い新鮮な谷中生姜が鎌倉の農協市場で求められます。稚《わか》いものは漬けて後日減りすることをお忘れなく。八月二十日過ぎから九月初旬がこの辺りの盛りと思います。

●材料

・谷中生姜　・塩水（〇・五〜〇・七％の塩水）＝二回分　・赤梅酢＝二回分

●作り方

①塩水を煮立てて、冷ます。

②生姜は柄を二㎝程つけて切る。

生姜の股には泥が残っているから、特に清潔を心がける。私は、煎茶のきゅうすの口を洗う細いブラシを突き込んで洗う。この手植えブラシは道具としておすすめ品（浅草の手植えブラシ屋『藤本虎《ふじもととら》』のもの。応対は江戸好みなれど誠実である）。

③完全に洗えたら、金気をさけた容器で塩水をかぶる程入れ、軽い重石をのせ、丸二日置く。一日目の後半からあくが出るはず。

④③を充分水洗いし、再び塩水に漬ける。丸二日。これを水洗いし、盆ざるに拡げ、半日天日に乾かす。途中天地返しする。

⑤④をガラス瓶にきっちりつめ、赤梅酢をさす。生姜の上を二㎝程覆う。室温が高ければ冷蔵で五日間漬ける。この仕事は下漬けである。梅酢は色あせるはず。

⑥⑤を盆ざるに並べ、半日乾かす。途中天地返し。

⑦⑥を再びガラス瓶につめ、赤梅酢をさす。冷蔵で五日〜一週間、これを半日乾かす。

途中天地返し。これで仕上がり。

●保存法

保存してある梅干しの上へ生姜をびっしり並べる。重ねてもよい。上をゆかりで覆う。これで完全。

梅干しは漬けないが本ものの紅生姜は漬けてみたいという方は、無農薬の赤梅酢（和歌山県日高郡龍神村　龍神自然食品センターで入手できる。または渋谷の東急デパートで）を用いるとよい。

下漬け用の梅酢の利用はおすすめしませんが、本漬けの後の梅酢はさまざま利用出来ます。

むかごの御飯

今年、我が家の実をつける類のものは、至ってなりが悪いのです。植物園の技師の指導で管理していますのに、梅・柚子は皆無に等しい程実をつけませんでした。

梅は花は咲いたのに、実がなく、柚子は二本とも花すらつけませんでした。人手のかかるもののみでなく、山のもの、むかごまで収穫が一カップでした。家では盛夏のテラスの照り返しをやわらげるため、手すりにむかごがからむようにしてあります。この日よけ用、七、八本の仕掛けから毎年二升程。つるをゆさゆさとゆすり、むかごの霰をふらせては拾いますのに、さがしどりするとは、どういうことでしょう。単に日照りが続いたからでしょうか。籠の底のあわれな収穫、それでも秋の恒例、むかご御飯を炊かないのは気がすまず、カップ一杯に見あうだけ、米をとぎました。

むかご御飯は、山芋の香りがふうわりと立つ、野趣に富んだ炊き込み御飯です。野趣と野性的の違いを手短に納得するには、むかご御飯を召し上がってみたらよいでしょう。むかごを拾う頃は、これ又香り高い新生姜の季節であるところが、なんと間のよいことでしょう。

むかご御飯の仕上がりには、かならず、新生姜の細々（包丁の金気をうつさぬように刻む）を水洗いせず、ふり込んで切りまぜるのが切り離せぬ相性、定石です。

むかご御飯を洋風に扱うこともできます。例えばパエリア（スペイン風炊き込み御飯）。肉類は、塩漬けの豚肉少々（ベーコンなら燻しの部分は用いず）と兎の肉――軽くて結構なものです。ぜいたくするなら兎を鶉に、身近なものなら鶏レバー。野のものは、蓮根、揚げた山芋、むかご、松の実、色どりに青、赤ピーマン。

ついでに申し添えると、鴨や羊の相手に、むかご、銀杏、山芋、蓮根の温製、ごぼうのチップスやサラダなど。そろそろ日本のオリジナルが生まれてよい頃と思っています。むかごは性が強く、野菜籠の隅に忘れたものを、翌春、無事な姿で見ることが出来るくらいですから、クリスマスまでなど、なんのことはありません。ローストチキンのお腹に、鳥のレバーライスにむかごを加えてお詰め下さい。話題がふえると思います。

むかごや栗が山を賑わすのは、新米の出る前、一番米の味がおちている時節です。むっちりぬめる、むかご、ほっこり甘味の栗、風味ある茸。みんなみんな米の味を補ってくれます。私共はこうして炊き込み御飯を語る時〝味のはなし〟で考えますが、大昔は糅飯《かてめし》、米の不足を補うのが目的でした。

南方のものである米を、北海道でも作る日本人。日本の水田は、他の国に例を見ない一種の作品であるといいます。

秋の炊き込み御飯を美味しくいただく時、たまには〝糅飯〟として扱われた時代を想ってもよいのではないでしょうか。どのような時代になっても、やはりお米は有難く、尊いものです。

時の流れ

親が歩いた道を子も歩く。春夏秋冬、天気のよい日も雨の日も。楽しい道連れのある時もない時も、花の摘める日も摘めない日も。まぶたに残る親の息遣い足どりを手がかりに歩きます。

親の往った道をたどる——賛否はありましょうがその道の石は少なく、標識もあり、蒔きおいてくれた種子の花は気兼ねなく摘め、旧知の花だもの、花束も作りやすい。

我が家の鯖料理は数々あって、〆鯖、鯖ずしを筆頭に、焼きもの、煮つけ——延長線上に田楽、でんぶ、汁もの、干もの、漬けたもの。いずれも手についた味になっているように思います。

これらのうち理屈ぬきに旨いので手法の理由は問わず脱帽のまま継承しているものと、味に疑問を生じて手直しさせてもらったものがあります。

手法が科学的にも解明される日を待ちつつ丸ごと踏襲している第一は〆鯖。

酢より塩に重点をおくのですが、母が膨大なる練習量でつかんだ塩分だから、皆さまにもおすすめ出来ると思います（『手しおにかけた私の料理』婦人之友社　一九九二年　参照）。

手直しさせてもらったものの一つは〝でんぶ〟。一般にでんぶというものは白身魚に火を入れ、炒りつけた薄甘い雲みたいなものですが、「鯖のお煮つけを作っていたら、〝でんぶ〟にしても美味しいと思った」と、魚を煮ながらさばき、骨を拾い上げ、そぼろにしました。茶飯に新生姜↓でんぶ↓もみ海苔。「お母さま、こってりしておいしい。明日のお弁当に持ってゆきたい」。これが原型でした。

食糧難の時代に鯖の脂をすい込んだ炒めものは、身体の要求もありみんな大好きで、以来三十年おおむね原型で楽しみましたが、年齢と豊かさの故で骨の養分はできるだけ頂戴し、脂には遠慮してもらいたいと思うようになりました。

・まず魚は三枚おろしにかえた。
・中骨は適宜包丁し、タテ塩で洗い、レモン汁を少々ふる（魚臭を去る）。
・平鍋に生姜の皮、山椒のあら葉。
・中骨を鍋に入れたら、酒をふり、強火であおる。水・砂糖、ひかえめの醬油で煮つめぬよう二十五分炊く。
・煮汁に骨のえぐみが滲出せぬうちに火を止め、骨は引き上げ、煮汁はこす。

・骨の旨味と滋養をひき出した煮汁を基調に調味を補い、切身をごく軽く炊く。ひとまず火を止め切り身を鍋からとり出し、皮と皮下の脂を寄せ除く。先の中骨の周囲の身もせせり、共に鍋にもどし、でんぶにする。嫌味がない、鯖とは思えないというのが大方の評価。

食物がよりよい型に治まってゆくのは、水が時の流れの中で落着くべきところに治まるのに似たところがあります。無心に心の火種を守り、どのような日でも歩けば、疑問はあちらから幕を落すように答えを見せてくれます。その瞬間の喜びの故に今日まで歩けました。折々空を仰ぎつつ、あまり足を痛めず歩けました、お蔭さまであったこと。

理を料る

前回の〝鯖でんぶ〟で鯖料理みたいなものでも、よりよい形に治めてゆくには、相応の思い入れがあるものだなあーと受けとめて下さった方があったかしら……。今回も、もう一回鯖料理で話をさせていただこうと思います。

――考案した「鯖の魚田《ぎょでん》」を中心に――仕上がったものは、懐石の焼ものとしても通用しますし、ひらたく言えば天然うなぎの蒲焼きと競えるかもしれません。それは鯖の味噌煮と、いわゆる一般的な魚田に対する疑問。疑問二種をまぜ合わせ、二で割ったと言ったらよいでしょうか。

鯖と味噌は相性のよいものです。特に、味噌煮の仕上がりに味噌を加え、味噌の風味で魚臭を治めるのは賢い方法です。けれど、そうしたものでも、なんとなくひっかかるところがあるのです。味より、視覚的な点かもしれませんけれど。

魚田は多くの場合、魚を焼き、何がしかの味噌をぬったものですが、両者の関わりが唐突で、なだらかな関連性にかけているような気がして。魚がめずらしい川魚だったりすると魚田にするのは勿体ないと思ってしまうのです。

〝二つのひっかかりをうまくまとめたいな〟そんなところから「鯖の魚田」を考えました。でんぶと同様、中骨の旨味と養分をひき出すところが肝要です。

① 魚は三枚におろし、中骨に酒、砂糖、醬油、水、生姜の皮、山椒を加え、ことこと煮つめぬ様炊き出す。

② 魚の身は切身にする。①の炊き出し汁を漉し、水分と香辛料を補い、薄味の追い味をする。魚身を覆う汁の量にし、魚を煮る。

③ ②を一晩、冷蔵する。つまり魚の身に薄味で煮汁を浸透させるねらい。

④　③の魚の身をオーブン用の焼き皿に並べる。
⑤　③の煮汁を漉す。以下がコツ——まず煮汁を煮つめる。汁が鍋底に透明感ととろみを帯びたかと見える迄煮つめる。これで魚臭がとび、一種の風味が生まれる。
⑥　⑤に酒をさして煮つめ液をゆるめ、八丁味噌・赤砂糖で味加減し、濃厚なたれとする。
⑦　魚の身に酒洗いしたはけでたれをぬり、オーブンの上段へ。表面が少々焼けたところで再びたれをぬり香ばしく焼く。盛り皿はかならず温める。粉山椒をふって食卓へ。出来るかぎり魚臭を解消したたれのこくと風味は、薄味ののった鯖の身と、無理なく渾然となったと思います。

料理とは、「理を料る」と書きます。ものの本質と、調理の法則の組み合わせが味を生むところからきた言葉と思います。

料理の出発点であった直火による〝御飯炊き〟——米の本質と炊飯の原理の組み合わせ——誰でもが否応なく見守らせられ、美味しい不味いと評されました。今にして思えば、あれが調理に向う〝基本的態度〟を身につけさせたのかもしれません。

根性がつくった味

〝根性鉄火味噌〟。鉄火だけでも食物として力んだ呼び名ですのに、根性までついています。製作過程の念入り故に、根性をつけたのか、食べる人の意志力を養うから根性をつけたのか、まあ食べてきた経験からその両方と申しましょうか。

母浜子がこれを作りはじめたのは昭和十四、五年。きっかけは、当時名古屋に住み、岡崎『角久』の豆味噌の真骨頂、八丁味噌との出合いではなかったかと察します（東急デパートで入手できます）。当時の八丁味噌は、樽から味噌をかき出すのに息切れする程の出来で、味噌そのものがまさに鉄火でした。鉄火味噌にも色々あるようですが、母が手はじめに作ったのは、ごぼう・人参・蓮根の三種を胡麻粒程のみじん切りにし、胡麻油で充分炒めたなら、八丁味噌を加え、焦がさぬよう、最終段階はさながら乾すような心持ちで、しっとりさらりと仕上げたものでした。

昭和十八年頃、戦争が深刻化するにしたがい、母はこれに鰹節をかいて粉にしたもの、黒胡麻を炒って荒ずりしたものを加えました。味わいは当然上々、栄養的にも向上。ガラス壜に常備してありました。日常の御飯にもふりかけましたが、お結びの芯に入れ、海苔で巻くと、申し分なく都合のよいものでした。食べ盛りの男の子が二人いたので、腹もちと栄養を考え、配給は玄米で受給していました。その玄米と鉄火味噌はよく調和し、共に噛みしめる旨味を今もいきいきと思い起すことが出来ます。

料理は生活上のさし迫った必要があればある程、金やものが乏しいほどに、後世に貢献しうる興味深い創作が生まれるようです。

根菜類だけで作っていたものに、鰹節・胡麻も加えたのは、戦時下の情勢そのもの、巧まずして〝籠城食〟を作ったことになりました。父は旧大倉土木におりましたから建設現場も油断ならぬ職場でありましたが、それにもまして、中学三年と一年生の弟達の勤労動員は、年齢に対する配慮などさらになく、特に、中学三年生であった弟は三菱系の兵器工場に動員され、一週間交代の夜勤にまで従事し、早朝帰宅する。ろうそくのような弟の顔色に胸をつかれた覚えさえあります。仕事は鋳造で、生命の保証はありませんでした。

中学一年の弟は丸通の仲仕《なかし》となり、広巾前掛け、手鉤《てかぎ》を腰に、終日荷馬車をひいていました。日々の無事は、神の摂理と、腰に下げたお結びが頼りでした。

母はつねに屈託なく、畠をたがやし、石臼をひくなどしておりましたが、根性鉄火味噌を作るような根気仕事、畠をたがやす、臼をひくなどの、労働によって、自然に胸中を去来する大きな不安とたたかい、心の平衡を保ったのかもしれません。拙著『ことことふっくら豆料理』（農山漁村文化協会　一九九一年）にも鉄火味噌を書きましたところ、不思議なことに男性方が、まずあれに挑戦してみたと報告なさるのです。理由がわかるような気がしております。母が、やっぱり男性は目が高い、よく作って下さったと喜んでいるような気がいたします。

汁かけ飯

母浜子は、七百以上の料理を世に解説しました。この中でも今もなお多くの方々に喜ばれ、作りつづけられているものの多くは、限られたサラリーマンの給料をやりくりしていた世帯盛り、戦中戦後の不足欠乏の時代に考案したものであることは、示唆に富みます。

・厚焼き玉子は、当時高価だった伊達巻きをあまりにも大切気に食べる子供らを見て、その代わりに作りはじめたもの。

・煮サラダは、夏休みの男の子達の勉強の監督を落着いてする、時間をつくるため。

・焼豚は、茹で豚づくりを失敗し、焦がした肉をなんとか食べられるようにとの救出策。
・全粒粉のクッション・パンは自分の育てた麦を、戦時下ゆえに馬糧屋でしかひいてもらえず、粉は粗いふすま入りであった。大抵の日本人が「食えない」と言った性質を逆手にとって出来たもの。

今回お話ししてみようと思う汁かけ飯は、単調になりがちな戦時の食卓に変化と賑やかさをと何気なく作ったもの。母はあまりにもあたり前と考えたか、つい忘れてしまったか、或いは困窮時代を思い出したくなかったのか、戦後絶えて我が家の食卓に登場せず、また著書にも全く見あたりません。

母が亡くなってから、なつかしく、季節になると作っていますが、実に食文化的で、秋から冬の間いかにもこの風土に生きるにふさわしい食べものであることを感じますのと、蛋白質、油脂が過剰になりがちな方々、日夜料亭食ぜめに辟易しておいでの方々など、このひなびた料理は身体を浄めるようで喜んでくださるからです。

料理の雰囲気は、茶碗の麦飯は通常の半分ほどに軽く。ここへ大根、人参、ごぼう、里芋を薄味の汁仕立てにしたものをかけ、季節の薬味をふりかけ、さらさらといただくというもの。

作り方は、「昆布・椎茸・煮干し」この三種でひいたしっかりした出汁、一人二カップ以上、大根半本、人参は大根の半分、ささがきごぼうは人参と約同量、里芋は大小ありますが一膳の御飯に二、三切れ。調味は塩と薄口醤油。薬味に芹、三ツ葉の類、切り胡麻、陳皮など。御飯は麦飯が軽くて好ましいのですが、普通の御飯でもかまいません。

本来汁かけ飯というものは、救荒飯、米の喰いのばし策のあらわれだったのですから、炉を囲み、火にかけた汁を粟飯なり稗飯なりにかけては、ざばざばとかっこみ、漬物ぽりぽりがそのよって来たるところでしょうか。

今の世に、汁かけ飯で人を喜ばせようとしたら、少々のこんにゃくの刺身に辛子酢味噌、魚の風干し、香のもの二、三種、手づくりの佃煮などが欲しいもの。それから、お食後――もしラ・フランスとぶどうを大籠に、何かしら、つるもの一枝添えることがお出来になったら――。汁かけ飯は他にもあり、焦点の当て方と脇役次第で、新たなる意味での救荒食となることでしょう。

視点の面白さ

前回紹介の「汁かけ飯」は、根菜類の細切りに里芋を加え、すまし汁仕立てにし、麦飯にかけ、薬味類を添え、さらさらと食べるもの。

御存知「けんちん汁」は、小口切りの根菜と里芋、豆腐、油揚げ、こんにゃくを加えた、汁かけ飯とは切り方の異なる根菜のすまし汁仕立。「三平汁」は、ごぼうを除いた根菜の小口切りに鮭のあらの旨味をとり入れたもの。「ほうとう」「だご汁」は、根菜と芋、又はかぼちゃも仲間入りした汁に、地粉（日本のその土地柄の小麦粉）の風味をとり入れたもの。「さつま汁」「粕汁」は調味料と添える蛋白質が異なるとはいえ、この汁の基本も、根菜の質を理解した上で、その組み合わせの分量、切り方の手加減、炊いてゆく順序の気配りで味を作り上げてゆくもの。

根菜類の煮炊きものとして便利な「筑前炊き」「がめ煮」は、共に野菜は乱切り、筑前炊きは鶏肉と共に炒め煮、がめ煮は煮干し出汁で至って日本的に煮るもの。

煮〆は、小口切りの根菜を、個々別々に煮汁を送り使いして煮上げてゆくもの。

随分しつこい程に、わざと実例を挙げさせていただきました。お読みになると、素材と調理法の重なり加減がおわかりになったでしょう。

そして、それとなく私の言いたいことも察しがお付きになったと思います。

つまり、一点一点、それぞれの料理が、四人分○gと紹介されれば、個々別々、なんの脈絡もなく、頭に入れねばなりませんが、素材の質に、食方法を重ねるという分類を導入しますと、料理は、とてもすっきりした法則そのもので、あとはやるか、やらないか、それだけしか残らないのではないでしょうか。

根菜の汁もの、炊きものは苦手という方がふえているようですが、それぞれの根菜の特質――単一で扱う場合と、組み合わせで扱う場合の、種類の位どりを語らず、単に「ナニをナングラム」では、苦手組がふえるのは当たり前。

たとえば、根菜の汁ものの割合の定型は、主役が大根で、人参は約三分の一強、蓮根も人参と同量程、ごぼうは人参よりひかえめに使う。この理由は、野菜の性格の強さによります。里芋は、くせのないものですし、昔々は主食にしていた程だから、一椀に三切レ見当、しかしもっと食べたい人もいらっしゃるというように考えます。

切り方も大根を主体に、これに準じて、大きさ、厚さを定めてゆきます。

加熱は、煮えにくいものを先に、煮えほぐれ易いものは最後に。

この道理で、魚のことも考えられます。青背の魚と白身魚に分け、食方法を重ねてみます。生で食べる、焼く、煮る、ムニエル、揚げる、漬ける、干す。

むろん、煮る、焼くと言っても千差万別の手加減はありますが、法則を明らかにすれば、手加減は楽しみに変わります。

人間の視点は年を重ね、肉眼の衰えに反比例して、若々しくなるものかもしれません。

料理人との出会い

世紀の料理人といわれるジョエル・ロブションさんから「是非お友達になりたいのでお話がしたい」と申し入れがあり、東京でゆっくりお目に掛かる機会を得ました。

何故私に？　と直接たずねませんでしたが、ロブション氏は京都の料亭『雲月』福知千代さんのお料理が大好きで、福知さんから母浜子のことをよく聞かされていたらしく、手帳に母の名のメモを持っておられました。

そして「日本の料理は、女が守り育ててきた、だから味がやさしい」と言われました。そんなことが申し入れのきっかけと考えます。

先に、私は恵比寿のシャトーレストラン『タイユヴァン・ロブション』でその完全ともいえる料理を味わい、彼の講習会にもあずかっていたので、その日を指折り数え、たずねてみたいことが胸を去来しました。

一番たずねてみたいことは、「彼にとって、彼自身の料理とは何か」ということでした。

なぜなら非常に材料を厳選しますし、料理過程は非常にロジカルで、一種の構築と言いたい程。ⒶⒷⒸⒹⒺという下拵えを最終段階で美事に統合し、「味」に仕上げるからです。

私の問いに対する彼の答えはシンプルそのものでした。「人を喜ばせるため」「料理は〝愛〟、これが総て」と言いました。

日本における彼の出版物の類には、ロブションの芸術とありますが、彼の口からアートという言葉は出てきません。九十九歳で亡くなったおばあさんが、亡くなるまでニコニコして家族のため隣人のためにお料理を作ったこと、十五歳まで神学生であった彼は神学校の台所で食事係だった修道女の手伝いをした日をなつかしく語り、「材料をいかさねば。なぜなら大なり小なりものの生命を奪って私達はその生命で養われるのだから」と言います。実際、トマトの皮、その種子まで乾かしたりして、それをあっと思わせる使い方をしますが、芸術とは言いません。

ものの世界を大切に、人を喜ばせることに心を砕き、いつの間にか思わぬ道のりを歩いたのだと思います。

料理人になった時、思い出したのはいつも台所でニコニコしていたおばあさんの顔というのです。彼は父親のことにもふれました。彼の生まれ育ったフランス・ポワティエは美しい石の産地で、お父さんは石工だったそうです。

石の仕事は忍耐そのもの、料理の質をつねに向上させるのも忍耐。おそらくその資質は父親ゆずりと考えられます。

この頃、鎌倉でお客様を案内出来る料理店はと考えた時、考え込んでしまいます。本当に限られたお店しか思いつきません。観光――ゆきずりの方々のお相手に追われ、お客の三回転も面白くなり、身体だけで料理を作るようになっていらっしゃらないでしょうか。『タイユヴァン・ロブション』は料理もサーヴィスも、そして大切なこと、価格もまことに納得のゆくものです。一度、そのよく考えぬかれた巧まぬ味を勉強されてはいかがでしょうか。

山芋・里芋のすすめ

晩秋から冬の間、この風土で生きる身体が自然に欲する滋養があります。その中に近年うとまれがちの山芋の類と里芋があります。山の芋は山野に自生している日本原産の薯、自然薯《じねんじょ》のことで、里芋は、里に栽培したから里芋です。

捏薯《つくね》、伊勢薯、薯蕷薯《とろろ》、長芋、蝦芋、八つ頭、そして里芋、セレベス。自然薯以外はすべて里で栽培しているからこれらはその分類でゆけば里芋の仲間なのか。ま、どちらにせよ、これらのねっとり成分ムチンは長寿の成分を持っているといいます。それは腸内吸収率の高い糖蛋白質で穀類の澱粉とは違う特質です。

洗うの大へん、皮をむくの大へん。面倒くさい仕事が重なるので敬遠されていますが、日本人にとって、米以前の食物であり、特に自然薯は薬用食物と考えられていました。伝統的な食文化には深い理由がありますから、手放すのは勿体ない食材です。鎌倉では、里芋は農協市場によいものがあるし、捏薯は長谷の『石渡商店』（０４６７—２２—５２４４）に素晴らしいものが丹波から入荷しています。

里芋は次のようになされば手がかゆくもならず、すべってむきにくいこともありません。これを覚えた若い方々は、「里芋をむくのは大好き」と口々に言われます。

芋はまず、いきなりたわしで洗いません。水に漬け放置し、土がほぐれるのを待ちます。亀の子たわしで徹底的に洗い、盆ざるに拡げ、半乾きになるまで干します。むくときは茎つきから芽の方へと包丁を運び、六面体にする必要など全くありません。ただ包丁の運びは出来るだけ一呼吸でなさっていただきたい。

土が完全に落ちており、なま乾きであるから、芋は汚れず、包丁の運びは楽々で、若い人の言葉通り仕事が進むはずです。

鎌倉の里芋は全国的にいえば六十点くらい。産地によって、ねっとり、とろけるように美味。大根切干しと炊き合わせなど捨てがたいもの。自然薯は、皮をむくのは勿体ない、ヒゲをとるくらいで、擂り鉢であたって召し上がれ。先端の指のように細いところは油で揚げ、味噌汁の実になされれば最高。大分湯布院、『亀の井別荘』の主人中谷健太郎氏によれば「地鶏鍋にぽきぽき折って放り込み、気焔をあげる」とありますが、そりゃ意気も上がろうというものです。

捏薯と伊勢薯を比べると、小さい声ながら伊勢薯と言いたい。ただなにせこぶこぶしているから扱いにくいが、まさに羽二重かシオゼかという肌《きめ》で、柚子、わさび、焼海苔少々に上等醤油で大馳走。しかしなかなか縁の遠い薯であるから、捏薯を大感謝していただきましょう。おろしてそのままでも、とろろ汁にしても本当に美味。椀種にすり流しても上品。

長芋は鼻たれ芋というくらいだからおろさず、線切りの小鉢ものか、厚めの輪切りか、大きな乱切りにして油揚げし、煮ものにしたり、味噌汁の実にするとぐんと見直せます。蝦芋や八つ頭はうずらの丸《がん》（一種のひき肉団子）、えび飛龍頭《ひりようず》と炊けば上等この上ありません。

男性はじゃが芋さつま芋を嫌っても、山芋、里芋は大好きな方が多いようです。おそらく男性にとって必須養分のはずです。

葛のこと

そろそろ「あんかけ豆腐」の恋しい時節となりました。とろりとあんに包まれた絹ごしの咽ごし。大ぶりの豆腐の上に一箸のおろし生姜。ないようでもたしかにある葛と豆腐のくせを少々の生姜のなんと食べ心地よいものにすることでしょう。

世にいくつかの澱粉を数えることが出来ます。米の粉、餅米の粉、麦の粉、片栗粉、コーンスターチなど。この中で群を抜いて高貴、清らかな澱粉は「葛」といって過言ではないと思います。

古来日本人は葛の根を医食同源的理解をもって、巧みに食生活にとり入れてきました。風邪を引きそう――では葛湯でも飲んで体を暖めて寝なさい。お腹こわしの仕上がりは重湯か葛湯で治めたものです。

冬瓜、豆腐のあんかけはお手伝いさんでも心得ていました。もてなし用の葛仕立ての椀物、御馳走にあきた時の葛引粥、精進料理の代表胡麻豆腐。すべての素材の特質を葛にくるんで効果的に食べうる智恵が見られます。

料理以上に多様に用いているのは、菓子であるかもしれません。葛餅、葛切り、葛桜、水仙ちまき。葛を使った生菓子の特徴は、甘過ぎずもたれぬものが多いと思います。申し添えると、名古屋には葛を実に上手に扱う菓子職がおり、それらは名古屋へ行かぬと食べられません。葛だちの菓子は日持ちも、地方送りもかなわぬからです。

この季節、どの地方の山野にも葛の紅紫の花が咲いていると思います。

地名も葛にちなんだ名が各地方にあります。日本の国土に太古の昔から繁茂していたのか「神武天皇、葛綱を用いて土蜘蛛を殺し給い」とさながら目前にしたかの想像ゆたかな一文が古い文献にあるそうです。大昔の人々は、おそらくその生命力に気付いたのでしょう。根を食用や薬用、花は薬用、葉は馬の最高の餌であったそうです。

しかしこれ程生命力に満ちた植物でもいじめ続けると絶えてゆきます。

植林にとって葛は大敵であるのが原因です。葛粉にしうる葛の根は、三十年以上たった大人の太もも程のものが必要なそうです。

葛の植林は難しいそうですし、外国産は日本のものに及ばぬそうです。しかも味と薬効はふしぎに正比例します。

葛の先行きも又八方ふさがりなのでしょう。冷たい目で見れば葛の先細りに等しく、葛を正しく評価し、それで体をいたわる人間も減っています。丁度バランスがとれるのかもしれません。

葛を尊びうる者達だけで、大切にその力を頂戴いたしましょう。

大手術のあと、老衰はむせやすく水分をあたえにくいものです。葛で薄くとろみをつけ、清汁をおすすめ下さい。

冬の章

牡蠣のこと　その一

今年もそろそろ冷たい海から、滋養のかたまりのような牡蠣が上がってきます。

牡蠣料理は和・洋・中と色々ありますが、両極の食し方に効果的なものがあると思います。

つまり、殻つきの小粒のものをそのままひんやりつるんか、正反対にあつあつのかりっと感覚を添えていただくかです。

食風景を絶妙な筆致と運びで、読むものに味、香り、歯ざわりとを想起させ、ついには作り心までも動かしてしまう方に池波正太郎さんがいらっしゃいます。

主人公鬼平こと長谷川平蔵の性格、日常の起居、捕物状況を配するところの食べもの、食べっぷりでよりくっきりと描き出すところがわくわくする程心理学的なのです。

それにつけても〝おや〟と思うのは、鬼平はしじみやあさりを江戸風で旨そうに食べますが、あの飯好き、粥好きが、牡蠣飯、牡蠣雑炊を「ま、食べながら話そう、さ早く、父つぁん飯にしてくれ」。三ツ葉の香り立つ牡蠣雑炊――ごぼう入りの牡蠣飯を亀戸大根の一夜漬けでかき込む――なんて情景にまだゆき合いません。冬に牡蠣が登場してもよいはずなのに……。しかし池波さんが鬼平に牡蠣を食べさせ難い配慮もわからないではありません。

牡蠣のわたやうんにゃり感と鬼平は、どこかしらそぐいません。そこのところが、はみ出してしまいます。牡蠣の土手鍋ならいけそうですが、それならハマ鍋（蛤）を食べさせたくなってしまいます。

椀種の牡蠣豆腐、寄せ鍋、御飯もの。どれもわたを感じます。特に御飯はよそう時に気をつけないと牡蠣をきずつけ、御飯がよごれてしまいます。炊き込み御飯のごぼうと牡蠣は相性だし、芹の細々でもふれれば上等のはずですが、どうしても困るところがそれなのです。

したがってあのやわらかさそのものを生かした食べ方である生牡蠣を賞味するのは至って自然の成りゆきと思います。生牡蠣は、宮城県沖のものなら間違いないと思います。小粒で細長く貝の身は灰白色に透明感があり、わたはくりっともり上がっています。まさに母なる海の贈物。辛口の白ワインで〝つるん〟、牡蠣からの汁を〝ちゅっ〟、間違いない真冬の大御馳走であり、ふしぎに格式もあるのです。

殻つきをあつあつでかりっと感覚、別趣のコキールに仕立てると同じく格式もあり、至って美味ですが、読者の方に作っていただくには残念ながら誌上での解説は無理。

平凡な惣菜扱いにされていますが、牡蠣フライというものは、理にかなった牡蠣の食方法だと思います。ふっくらとカリッとで、滋養の宝庫であるわたが心地よく食べられるから。

牡蠣フライに人参葉の素揚げと粉《こ》ふき芋を添えます。大根の千六本の味噌汁には七味を忘れずに。べったらこりこり、水菜しゃきしゃきで食事をしめくくります。うまく出来ているじゃありませんか。

昔々牡蠣を三粒食べると寝汗が止まる、目のきれいな子を産みたかったら貝を食べろと言ったものです。そのわけは次回に。

牡蠣のこと　その二

「栄養豊富な牡蠣を豆腐のように、多くの人が食べられるように」「豆腐の作者は誰であるかわからないではないか、牡蠣にしても同じでよい」

垂下式養蠣法を発明された宮城新昌氏は特許もとらず、誰にでも養蠣ができるようにと全国的普及（米国にも）に貢献されたといいます。

宮城氏は一八八四年（明治十七年）沖縄で生れ、沖縄県立農林学校を卒業後、一九〇五年十一月渡米。翌年からワシントン州オリンピア市園芸学校に二年学び、一九〇八年ワシントン州立大学水産学部キンケード博士の私設助手となり、オリンピア牡蠣会社の養殖場で研究を始めます。一九一四年東京水産大学の妹尾、堀両教授の指導協力により垂下養蠣法の研究に着手。第一次大戦中は一時研究を中断しましたが、一九二三年水産試験場との共同研究で種牡蠣の人工採苗・垂下式養蠣法、その他の総合研究を完成し、日米両国に於ける養殖学の基礎を完成されました。

宮城氏が牡蠣に興味を抱かれたのは二十歳になるやならずの頃だったのです。

牡蠣の養殖は紀元前一世紀ローマ人が、それから東洋での宋の時代（四二〇—四七九）に竹にはさむ「挟竹養牡蠣」の記録が残っています。日本では広島で元和元年（一六一五）頃に「石蒔《いしまき》養殖」という説があります。

宮城氏以前は地蒔式でありました。氏は木や竹に付着した牡蠣が海底を離れた中間層で育つこと、昆布が根を岩に固着させているとはいうものの、中間層で育つことにヒントを得て実験をすすめ、さらに寝食を忘れて実用化されました。夜中に飛び起き、障子の桟を数え「この高さか、こちらか」というようだったといいます。研究は楽しく仕事の発展は愉快なものであったに相違ありませんが、骨身をけずる思いもされたに違いありません。

牡蠣は海のミルクといわれるだけあり、一〇〇gあたり熱量九十六キロカロリー、蛋白質一〇g、ビタミンB_1〇・三mg、B_2〇・二mg、カルシウム四〇mg、鉄八mg、又亜鉛、グリコーゲンを多く含み、即効性があり消化もよくコレステロールの心配もありません。

こういうものを過不足なく、手間いらずで食べる工夫はないものかと願っていましたら、求めよ、さらばあたえられん式にゆき合いました。

牡蠣は五〇〇gくらい。散塩してふり洗いしそのままを平なべへ、汁気が殆どなくなるまで炒り煮。水分がなくなったら大匙二～三の酒をさし、からめ煮します。

このからめ煮を沈めて置いたびんへ、上から油をさします。二、三時間したら食べられます。

油はペーパータオルに吸わせて、盛ってもよく、若い方ならそのままでも。

酒肴にはむろん、箸休め、パンにも合いますし、弁当にも向きます。気になるのは、フライパンの鍋肌に残った旨味、賢い使いまわしはないものですかね。

慣れをいましめて

御馳走やお酒のあと、お粥や雑炊でお腹をいたわってしめくくる。白粥・百合根・青菜の類・葛引き。日本の食の美点の実感です。

それかこれか、冬が近づくと、粥と雑炊の料理紹介をそこここで拝見します。かに、うに、えび、鯛、鴨、うずら、もずく等々、和風、中華はむろん、イタリア粥に至る迄、なにもかも想像力をかきたてられるものばかりです。

しかし、記事を丁寧に見ますと、気になる事が一つあります。それは、雑炊やリゾットの場合の御飯の洗い方です。

雑誌でも放送でも、「御飯を水洗いする、洗い水がにごらなくなる迄水洗いする」と教えます。〝三回洗う〟と解説してある写真を穴のあく程観ますと、御飯はさらっとしているようですが、具と出汁の力で食べさせるものに仕上がっているように感じられます。

料亭は雑炊もひとつのお振舞いですから、これでよろしいのだと思いますが、私達の日常の雑炊は、特例をのぞき、鯛や平目の舞い踊りのようなわけにはまいりません。やはり残り御飯の扱い方に関わることなのですよね。一番出汁や鳥のスープがあれば〝あら、うれし！〟青菜か葱などを玉子でとじ、これに、なますか風干しを添えれば、日曜のブランチ、週日の女の昼食です。

めぼしきものを用いず、家々でも雑炊を美味しくいただくには、どうしても米の旨味にも頼らねばなりません。ではどのような御飯の洗い方をしたらよいのでしょうか。

それは「塩の力」をとり入れるのです。

ざるにとった御飯にぱらりと塩をふり、御飯をあしらってから流水で水洗いするのです。御飯が固まってあしらいにくければ、パッパッと酒をふり、御飯をさばき、塩であしらい、水洗いします。

御飯を洗う量は、一度に茶碗五杯は無理、三杯が限界と思います。塩の量は、一碗につき、小匙二分の一程。

御飯を洗うタイミングは、最終段階。お膳立てをまっ先に。お菜もととのえたなら、具と出汁の用意をし、出汁に煮えがつきはじめたところで、御飯が塩分を吸収せぬよう、手早く洗い、熱い出汁に投ずるのです。

雑炊を作りながらの、お膳立てでは、一生雑炊のよさはわかりません。

〝御飯を塩であしらう〟って、大抵なさらないでしょ。では、私はと申しますと、英国から拾ったのです。彼の国に、スープ・マリガトーニというカレースープがあります。これの浮身は御飯を用い、憎きことに塩で扱い、洗って用うるのです。

私達は米の国の人間、米のことならまかしとき！　知っているつもりほど進歩をはばむことはありません。この一事からでも、慣れをいましめ、旧来の方法の分析を怠ってはならないと思ったことでした。それにしても、塩とは、なんと素晴らしい物質でしょう。

大根一本

宮重・聖護院・桜島・亀戸・美濃早生《わせ》・源助・三浦・練馬。これなんでしょ？　世の中「青首」ばかりになってきても、なんの注文もつけない大人達がわるいな、わからないのは皆さんのせいではありません。

大根は地味と気候によって、別の蔬菜《そさい》のように、姿、形、味に特徴があります。「五穀に劣らざる必需のものたり、このもの不足なるときは、五穀の凶荒と異なることなし」。江戸の農学者の言葉は、大根を葉から尻尾、皮に至る迄、生で漬けて、炊いて、干して使ってみると、心底うなずけます。

「ただいまー」。玄関をあけると、おでんのにおい、ふろふきのにおい、味噌汁のにおい、切干しと里芋を炊くにおい。少しずつ違うけれど、どれも大根を炊く香り。料理屋にない香り——私を待っていてくれた煮ものの香り。香りの流れの中で、洗面を使い、服を着替える。掌にある小さな、けれど夢ではない幸せ。

近所の八百屋の大根は一本二百五十円。葉もなくて——栄養の半分捨てている——捨てたものにもお金を払っているの御存知？　昔は知識はなかったけど〝勿体ない〟が身について、葉も皮も、才覚で美味に使っていました。夫の給料も生きていました。

〝大根の使い方〟やはり〝葉つき〟でないと話にならないな。

まず、葉は根から切り離す。葉が根の力を奪うから。葉は漬物、菜飯、佃煮に。特に荒葉のひすい揚げは面白い。低温でゆっくり扱うと水分がとび、ぱりっとつっぱった揚げ煎餅になります。焼き塩をふり、酒肴に。軽くくだき、大根おろし和え、ポン酢を用いれば満点ビタミン。鎌倉農協市場で捨てた葉をもらえば飲屋は笑いが止まりません。

炊いた大根は蕪の炊いたのと、どこが違うか——捨てがたい奥ゆきのあるもの。醬油味で炊くには、昆布・鰹・煮干し・焼干し・いか・豚。これにお揚げの類。別格はやはり鰤《ぶり》大根と思います。あれは四つに組む値打ちのある煮もの。

小人数のふろふきは不経済と、手をつかねたまま仕事をせぬ方が目に浮かびます。

わざと一本、昆布と洗い米を添え、炊く。もっとも旨い中程をその日のうちに、ねり味噌で。残りは、味噌汁の実・鍋ものの具。一番の秀逸は、ふろふきの甘酢漬け（詳細は二〇五頁、展開料理　その一にて）。

終りに何がなんでも、他に肩代りさせられぬのが大根おろし。外国に出ると主材料で和食の表現は出来ますが、おろしがないので異国を感じます。日本人の多いデュッセルドルフで、運賃がかさんで三分の一本が五百円くらいでしたか……。

かまくら春秋社発行の『生の時刻』（酒井三到男著）に抗癌剤の吐き気に「辛いおろし」で立ち向う章があります。生命の瀬戸際と食文化の関わりを痛感する記録でした。

柚子の香

〝三つ子の魂〟と世に言いますが、味覚にも魂というか、その傾向の核のようなものがあると思います。私の場合それは、祖父の長くてゆったりした膝の上でつくられたようなふしがあります。「父《とう》さま、赤ん坊にうになんか嘗《な》めさせないで下さい」「ちょっとだけ、ち

ょっとだけだよ。どんな顔をするかと思って
——どんな顔するかと思って——のくりかえしのおかげで、このわた、うるか、種々のおなめの類で馴れ味を、又祖父は和洋の香辛料を欠かせぬ人でしたから、五味とは別に風味をも覚えたように思います。この季節、膝の上の味修業で私が心待ちにしていたものが一つ二つ。それは柚子の砂糖がけと金柑の甘煮でした。

柚子の砂糖がけとは、霜にあたり、少々ふかふかとなった黄色い柚子、それを皮なり薄くきざみ、小鉢に盛り、白砂糖をさらさらとかけただけのもの。食べる時、上等の醬油を滴々と落し、よくまぜ、そのしっとりを、少々ずつ口に運ぶ、お浸し風情ではありません。香りにからむうすら甘味、皮の刺激は感じましたが、「それが柚子というもの」と言われすぐに馴染みました。この料理とは言えないような一種の食べ方は、黄柚子の季節の私の定番となっていますが、料理本でも辻留先生以外紹介する方は少ないようです。

ふしぎな程日本酒にやさしく添い、数々の料理の間合いに口を清新させる役目もはたすのです。これを柚釜に盛れば風情はあらたまり、年の暮れのお茶事に、正月の祝肴に適しています。

初冬、山茶花《さざんか》も終り、庭に花の色がとぼしくなった頃、常緑の繁みの中で柚子が色づきはじめます。花の黄色にはない、万燈のように光る色を感じます。

〝今年もお世話になるわね、ありがと!〟挨拶のあとは、朝に夕に、日々使わせてもらう

こと、もらうこと――。愛用の米酢もワインビネガーも当分は棚上げ。

大根おろしとちりめんじゃこにつづく、あらゆる酢のもの、サラダの類。りんごなどのジュースの仕上げに柚子の汁。おすしの合わせ酢。焼き魚のムニエルのあつあつに。

柚子の皮――へぎ柚子、細切り柚子――ほんとにふんだんに、消毒していない安心で使います。へぎ柚子の使い方でおすすめしたいのは、その一片を盃に落し、燗酒を召し上がってごらんなさい！　ほんとに日本ですよ。供し方は、小皿に二片程のへぎ柚子を盃に添えればよろしい。飲む方はもし香りが薄れたら、箸先でつと皮を突いてごらんなさい。又、つづいて美味しく召し上がれます。

花柚を貴重に吸口として使いはじめるのは五月、小指の先程の青柚が葉陰につくのが六月で一人前に柚子の香気を持ちます。おいおい大きくなる青柚も使わぬことはありませんが、せいぜい吸口くらい。使いっぱなしに使うのは黄ばんでから。実をくりかえし霜にあてるとしわむので、十二月下旬には採り終わり、屋内で保存します。五月から十二月迄、七ヶ月。最終は、ジャム、柚子味噌、柚べしにたどり着きます。

柚子、山椒、わさびは、風土が産んだ類のない香辛料と思います。

わさびは無理ですが、柚子も山椒も、庭内にあるとないとでは大違い。結婚の支度に、男女を問わず用意なさることを心からおすすめしたいもの。この際、本柚子はむつかしいから、花柚をお育てになるとよいでしょう。庭前の、マンションのヴェランダの、柚子や山椒で、三つ子の魂が育ちますように。

クリスマスの心

クリスマスを迎える心の準備は、四週間前から始まります。柊《ひいらぎ》の輪に四本のろうそくを立て、週毎に火のともるろうそくがふえてゆく。ふえる灯《あか》りにつれ、さまざまな心づもりが頭の中を去来します。

ろうそくに三本の火がともる頃になると蒸し器を火にかけ、オーブンをあたため、クリスマス・プディングや、テリーヌを作りはじめます。プディングの複雑な香辛料を含む甘い香りが蒸し器のふちからただよいはじめるとおいおいカロルを歌わずにいられない気分になってきます。

「SILENT NIGHT HOLY NIGHT」もう年をとり高い声の出なくなった母も女学生にもどり、カロルを歌っていました。「VENITE ADOREMUS DOMINUM」歌いながらアルバムを繰るように、ものごころついた頃からの、さまざまなクリスマスをたどります。おいおい胸の中はなつかしい人、いとしい人で一杯になってきます。クリスマスって、こういう祝日なのだと思います。

昔馴染みの果物の砂糖漬けを入れたクリスマス菓子は、焼いたものより、蒸したあつあつに、あたたかいカスタード系のソースをかけたものが、こうした情感に寄り添うような気がします。蒸し菓子なので、クリスマス・プディングと呼びます。

このプディングの美味しさは、ミンス・ミートというたねから生まれます。捨ててしまえばそれで終りの柑橘類の皮を、五、六月頃より無農薬と聞けば、心をみんなの喜ぶ顔に通わせ、洗ったり、茹でたり、水でさらしたり、砂糖を計ったりして砂糖煮にしておきます。十一月になるとこれをきざみ、干しぶどう・干し柿・りんご・ケンネ脂など、香り高いスパイス類と共にブランデーなどの洋酒に漬けます。この菓子はミンス・ミート以外に、さしたる材料の必要がないから贅沢とは縁遠い、つましい丹精のつみ重ねで作る菓子。ミンス・ミートの熟成を待つところも、心の準備に四週間費すところと似ています。神様がいと小さき者をお見捨てにならぬように、捨ててもともとのものから、特に美味しいものを作ってしまうところも似ています。蒸し上げておけば傷まないから、随時蒸し直して、あつあつを出すことが出来ます。

戦後早々、お初釜の菓子にしたことがありましたが、お茶人さん方は、来年もと所望なさるお喜びでした。よいものはかならず万人に万事。これもクリスマス的ではないかしら。

プディングばかりほめ讃えましたが、洋風料理にかかせぬソースの類、テリーヌなど、もとを正せば原型の材料だけでは楽しみのうすいものを、他の材料と適切に組み合わせ、食文化の基盤をなすところまで高めたものです。

一九頁の写真はテリーヌ・ド・ヴォライユ。軽く焼き、きざんだ鶏レバーと、あらかじめ塩で〆めた豚の首肉を荒挽きにし、背脂《せあぶら》で包んで焼く、洋酒の香りも程々。焼いた後に重石をのせて冷やし、不要の脂をきります。心憎い程必要手段が講じてあります。

愛の絆を祝うクリスマスのよすがを、慎みと丹精で表現出来るのは一つの幸せと思います。

金柑とほどよさ

山の金柑の取り残した実に、冬の西陽があかあかとあたっています。

山肌を覆う、乾いた小草を背に、まん丸く照り輝き、まるで珊瑚のよう。

きれいと思えば思うほど、梢に近い取り残しが、なんと気になることでしょう。だから、この季節、ノッポのボーイフレンドの来訪を胸算用し、〃彼は来そう、彼は来られない〃とやることもあります。家の金柑は、「金柑は皮が身上」と言っていた母が吟味しただけあり、もぎたてをぷっきり噛むと、トパーズの芳香もかくやと、皮は甘味を、果肉は清冽な酸味として口中を走るという、最上品です。

ジャムを炊かれる方はおおむね金柑を気楽に炊かれると思いますが、幼いお子さんをお持ちの方は、咳止め薬として有効ですから、是非お炊きになるようおすすめします。

その上数えあげてみましょうか……。

・ねっとり炊けた金柑の一箸を日本酒——特に御高齢の酒肴に——加えてごらん下さい。又、ハイカラさんのブランデーの相手にもなります。

・大根、人参のなます。正月過ぎは、柿の代わりに別趣です。

・魚の味噌漬け（鰆《さわら》・甘鯛・まながつおなど白身魚）の前つけ、にも悪くない。洋風では、鴨のローストの薬味に。

・漬物を数種とり合わせる場合の一つに加えても悪くありません。

・朝食のマーマレード代わりでしたら、フォーションへ輸出してみたいくらい。したがって、オレンジピールを使うところへは、随時お試し下さい。

珊瑚のように愛らしいだけあって、金柑は愛敬もののようです。

読者の中には、〃こんなにほめて、本当かな？〃〃お酒が飲めるとか、鴨のローストに使えるとか、ついには輸出したいとか……〃。ごもっともと思います。そして多様に使えるのは、あそこの家の金柑だからでしょうで、大体おしまいなんですよね。

先頃、親友が〃今年の出来〃を皮目に深く切れ目を入れ、甘味一辺倒炊きを持ってきて下さいました。甘味一辺倒は世間知らずの嬢ちゃんみたい――甘味としてしか役に立たないなと思ったのです。翌日、去年の我が家製と比べてみました。果肉の中に、酸味も香りも残り、醬油を落としてあるためか、しっかり者、四十女でした。

親友のものは、皮目に入れた切れ目故に、酸味も香りも、茹で汁内に滲出し、あくと共に、残したいところも失ったのです。

やはり、皮目を鋭利な竹串で突いて、皮の破れをふせぎ、果肉の本性は流出させない、さらに仕上がりの醬油は、四十女の手八丁の源と思いました。

金柑を煮るなんて、とてもささやかなことと考えていましたが、やはり、まだまだ、皆さまにお伝えしておかねば……それにつけても、梢の金柑は勿体ないなと思ったことです。

鍋のある風景

寒夜に囲む鍋もの、みんなの笑顔が、美味しい湯気にゆらぐ時、とり箸のはこびにつれ、終日の喜びも重荷も、いつとはなしにほぐれます。

手頃な湯豆腐、鱈ちり、ねぎま、牡蠣鍋、ごぼう鍋。ちょっとはずんで、常夜鍋、ちゃんこ鍋、水炊き。凝ればきりのない、おでん。大馳走の寄鍋。私は十一月になると、手近な棚に、こんろと土鍋を移します。残りものの様々を、お椀代わりに鍋仕立てにするためです。大根の尻尾、人参半本、白菜の芯、小松菜の軸など。野菜は軸に合わせ、みな線に、里芋の二つ三つは小口切り。薄い味噌仕立てにして、食卓のコンロへ。大ぶりに切った豆腐をこれであたため、七味などの薬味で、ふうふうお代わりするなど……。

豆腐がなければ油揚げでもよし、もの足らぬ人には、落とし玉子を半熟で。うどんの残り、一月にはお餅もあります。

ああでなければ、こうでなければのことはないと思います。ただ一つ留意していただかねばならないのは〝炊き方〟です。

雑誌の鍋もの特集、あれは見せるために、致し方なく、鍋の全面をにぎにぎしく作っているので、あの通りで炊くならば、食べる速度が追いつきません。材料はくたくた、「さあさあ」とせかされては、楽しいはずが裏目です。

鍋料理は簡単そうですが〝サーヴィス力〟で召し上がることを、お忘れなく。

も一つ、鍋のある風景にどうしても欲しいものがあるのです。それは口中を冷んやりさせる一品。例えばすき焼きに、わかめとうどの酢のものなど、よろしいでしょ？ さらに出来れば欲しいのが、歯ざわりのあるもの、馴れ味のもの。しめくくりに、漬物二、三種。

味の景色がととのえば、鱈ちり、ごぼう鍋でも、お客様用となります。

鍋ものの中には、それで酒の飲めるもの、飲めぬもの、御飯の食べられるもの、食べられぬものがあります。この計算が立たないと、冬は年中鍋もので、ずるをしているような恰好になるのです。脇役・引き立て役、あってこその鍋です。

旦那様の酒の肴を工夫していらっしゃる方は、脇役のえらび方がお上手と思います。

ごぼうや蓮根の切れ端のチップ、香り高い野のもののお浸し、小魚の風干し、南ばん、おなます、きんぴらの類。

金も手もかけず、男性をねぎらえるのは、女の才覚、感性の見せどころと思います。

写真の鍋は〝ふかひれもどき、月末鍋〟とでも申しましょうか。牛すじを、圧力鍋でぴろぴろに茹で、流水で清めぬきます。上等のスープにたっぷりの酒を加え、これにすじを浮かせ温め、すべて細打ちした野菜は、スープで洗うくらいの気持。緑のものは、なずなの香気です。金かけずは手がかかる、手かけずなら金がかかる――の約束を思い出す鍋ですが、なんでも鍋になる一例と思いまして……。今年も鍋を囲んで、新しい友情が生まれるでしょう。

展開料理　その一

一枚の香ばしいトーストを熱々のコンソメで食べる。合の手に、ひんやり・つるりとした大根の甘酢漬けをするっと口に運ぶ。

「のどごしがいいな、アスパラみたいだな」。冬木立を見やりながら、「こんな朝食、あの方にも、この方にもお福分けしたいな……」と思ってしまいます。

朝食の野菜ものは、生野菜のサラダを喜んできましたが、この年齢になると、トマト以外のサラダ、つまり若い頃あんなに好きだったパリッとが、よいようでもあり、有難迷惑でもあり、努力感をともなうようになりました。特に朝食のパンと共には、火を通したものでありながらさっぱり・するり・清潔に、が好ましく……。この好みに、経済的にも、手間の点でも、昨今ぴたりとはまったのが〝アスパラガスのような大根〟。

この甘酢漬けは、実は、ふろふき大根からの転用です。

ふろふきのように時間のかかるものを、小人数だからといって、半本炊く方はないと思います。おそらく、大根おろしにする分を除き、残りをまとめ炊きし、ふろふきを楽しまれたあとは、鍋ものや、汁ものの具に利用しておいでのことと思います。

私も、一本ふろふきにしたなら、あたため返しは、いささか仏の顔。残りは鍋もの、汁もののあたたかい料理に便利していましたが、ふと冷たく食べてみる気になり、甘酢とビネグレットソースに漬けてみたら、無理のない味となりました。特に甘酢漬けは、洋風料理の、野菜の冷製としてコースのバランスを助けるように思います。油を用いた料理の間に、全く油を用いぬマリネードは、人々の求めているところ。若い方々でも、欧米人でも、同感と思います。

作り方は、大根は、厚目の輪切りにし、皮をむく、昆布を鍋底にしき、一握の米を添えことこと炊くだけ。米を用いるのは、煮汁に旨味を添え、大根臭を消すため。この米を捨てる時はちょっと勿体ないような気もしますが、どう考えても用い様はありません。

ふろふきは、一番美味な部位を、伝統的な食べ方をします。残りを保存容器に移し、茹で汁に、塩、酒、かくし砂糖、薄口醬油、最後に酢を落とします。

お加減は、美味しく飲める三杯酢程度。これを静かに八〇℃程に熱し、大根の上から静かにそそぐ。分量は、大根の上を一㎝程覆うように。二日目くらいから食し始め、四、五日は保ちます。朝食用のみでなく、酒肴にも、箸休めにも。花かつおを添えたり、溶き辛子を落とすなどして……。固めのマヨネーズを白ぶどう酒でゆるめ、大根の上から半がけにし、クレソン、ブラック・オリーヴでも添えれば、気取って、大根のシャンテリーと呼べます。

たっぷりめに作った素材を、自分の勘考力で上手に展開させてゆく——四人前を単位とする、すじ切り料理指導に馴らされた方々にはとまどいのもとかもしれませんが、展開方式に目をむければ、家庭の台所に光がさし込むかもしれません。放送も出版も、料理を、もっと台所仕事を全体の枠でとらえ、仕事全体と労苦を分かつ視点で、世に貢献してほしいもの。

展開料理　その二

ひき続き、展開料理のことを書きたいと思います。ところで、前回のふろふき大根の甘酢漬けをお試し下さった方はおありでしょうか。ああした方法は、仕上がった料理を展開するものですが（利用と言いたくない）、一方、調理過程で展開してゆく方法もあります。一例として洋風料理についてまわる玉葱仕事で解説してみます。

① 薬味扱い＝サラダや魚介類などに添える、さらし玉葱。
② 料理の底味・隠し味に用いる＝しんなりと旨味が出るまで炒めたもの。
③ 玉葱の力を濃縮したもの＝味噌のようになる迄炒め、玉葱の力に頼った料理にする、オニオン・グラタン、カレー料理。特殊なものでは、Salsa Maruchan de Ben という、超一流のソースの素（大別でおゆるし下さい）。

三種の扱いの中、使用頻度は、私の場合①は毎日、②は一週に三回程、③は一ヶ月に一回程。これらが台所仕事となった場合、大家族は別として、当節の核家族用でしたら、たった玉葱四分の一でも、野菜籠からスタートし、葱を用いた後始末をせねばなりません。私はこうしたことにアンバランスが感じられてなりません。特にトマト・サラダの季節、不意の来客、一人分の食事作り、それでも一箸の玉葱が欲しい時、解決策をさぐってしまいます。

合理化――手抜きでなく、正面から、ものの本質と、仕事の目的にきっちり焦点を合わせてあれば「貢献」に結びつくはずです。何気ないこと、しかし実のあること――これが文化の堆肥です。考えれば①は薬味、②は隠し味。目的にかなえばよいと、一つ流れの中で①②③を常備することにしてしまいました。

まず、一週間分の玉葱量を合計し、目的に合わせ、包丁します。鍋は、フライパンでなく、平ソトア鍋が最も仕事を助けてくれます。第一は、①の薬味用、縦薄切りを、オリーヴ油で、刺激臭を去り、歯ざわりが残るよう、あおり炒めし、ただちに鍋底を水桶で冷やし、塩・胡椒。熱がとれたら、ガラスびんに移し酢を入れ、オリーヴ油を加え、密閉して、冷蔵庫へ。第二は、①の鍋は洗わず、包丁した②③の分を、オリーヴ油で、粒ニンニク、ロリエと共に、鍋蓋を用いて炒めます。

十分程炒めれば②を目的とした状態となります。これをガラスびんに、粒ニンニク、ロリエと共に移し、ひたひた程迄オリーヴ油をさします。

鍋に残した分は、そのまま、べっこう色になるまで炒めつづけ、③の状態にします。

②は密閉して、冷蔵しますがオリーヴ油をさすことで、安定し、一週間は、安全に出したり、入れたりして、肉や魚料理の手軽な煮込み、オムレツ、米料理に大活躍してくれます。

③は作りたてでオニオン・グラタンやカレーを作れば満点ですし、一部分は、赤ぶどう酒と少々の塩を加えて半量ほどに煮つめ、仕上げにソース・エスパニヨルと隠し砂糖を落とすと、Maruchan de Ben という、たとえようのないソースとなるのです。

ソース・エスパニヨルなど、コックでさえ昔話でしょうからエスパニヨルはさておき赤ぶどう酒をさして煮つめるところ迄、興味しんしんの方もあるでしょう。

一気に一週間分の玉葱を切り、一つ鍋の流れの中で、仕事を展開する効果は労力、時間の問題のみでなく、神経の疲れに大差が出てきます。これは一種の解放で、人間の尊厳に関わりのあることと思います。

利用と展開は、目のつけどころが違う所以《ゆえん》です。

スーパーミールというファーストフード

今回はファーストフードでありながら、本質的にはスローフードである食べ物の話をいたします。

その食べものの呼称はスーパーミール。

・ミールの性格は、機能的に配合した、至って日本的なシリアル。

・内容は、燕麦、ひきくるみそば、胚芽二種、大豆、小豆、胡麻。以上すべて国内産。

・食べ方は、一回三分の一カップから二分の一カップ程が食べきれる分量でしょう。

これを、

Ⓐ前の晩から、ミールの倍量強の牛乳、又はヨーグルトに、ミールをまぜ浸し置き、翌朝これに、りんご、バナナ、干しぶどうなどを加えて食べる。

Ⓑミールに熱したミルクをそそぎ、好みの固さにねって食べる。蜂蜜を加えてもよい。

Ⓒミールを熱湯でねり、好みの固さになったものに、熱い牛乳、又は味噌汁をかけて食べる。

Ⓓ小鍋に湯をたぎらせ、ひとつまみの塩、ここへミールを投じ、やわらかく煮る。煮たものに、牛乳、又は味噌汁をかける。

Ⓐから©迄は、所要時間一分、Ⓓは三分。

現代の食生活は満ち足りた時代ではありますが、バランスがとりにくい、様々な状況に悩む方も多いのが実状です。スーパーミールは、ムースリンと呼ぶ、スイス高地の越冬食を、薬食一如、医食同源の理に照らし、日本の風土に育つ材料で自分用に改良したものです。異文化をとり入れるには、時間をかけぬと失敗するので、土着化に三、四年かけてみました。この自家用をお上げした方々、特に、食事に手をかけられぬ多忙な一人暮しの男女、勉学者、高齢者が、あれでバランスがとれると喜ばれるのです。それで、おいおい世に出す方向になりました。

世に出すについては、色々考えましたが、当初修道院、トラピストのような、世に出ず、祈りに生涯を捧げた修道女にお願いすることに致しました。現在は、北海道深川市の『プラザホテル板倉』(01642―3―2121)で作っていただいてます。胡麻だけは大分産、他はすべて北海道産。手堅い社長さんが大努力で国産穀類のみで作って下さるからです。

スーパーミールの配合で、嬉しく感じているのは、そば、小豆、胡麻をうまくとり入れられた点です。長年そばを塩分と離し、小豆は砂糖をなくしてとりたいと望んでいました。胡麻のお蔭で、カルシウムと鉄分も予想以上に入りました。

ゆきあたりばったり、思いつきではやれない時代が来るでしょう。日常生活を理性的にこなすのは、日本人は不得手ですが、必要に迫られる時が来るでしょう。

そのような時代を迎える稽古の一端としてこのような食物を食べ慣れていただくことをおすすめいたします。

時流の中で

情報と物流のゆき交う渦の中で、正月料理をおきめになるのは、御苦労半分、お楽しみ半分。これでよいかと不安になる程恵まれた時代にいると思います。

読者の中には〝辰巳さんち〟のおせちに関心をお持ちの方もおありかと思いますので、少々御披露いたしてみます。

私の正月料理は、御期待を裏切る程簡素です。祝肴三種、お雑煮、お煮〆が主体で、盛り肴はあればよし、無くてもよしという考えで用意しております。

この簡素を、材料を選び、心をこめ、落着いて作ること程、心地よいことはありません。この快さを味わうために、二十八日迄に掃除と道具出しをすませ、二十九日夜に、料理仕事を段取り、三十日朝から料理にかかり、三十一日午後三時迄に、一切を仕上げます。お福分け用のお重も五時には、お渡しいたします。

本来、日本の行事食は、平等感覚にすぐれ、正月は、祝肴・雑煮・煮〆で祝うとされています。これにのっとるつもりはございませんが、年を重ね、いろいろ食べすすみますと、餅をしみじみよいものだと感じるようになりました。餅を味わうためには、その他が簡素である方がよいようで、何時の間にやらこういう型に治まったかと思います。

餅は、日本の味のゆきつくところであり、食文化の原点にも関わりが深いのです。年々お餅は苦手の方がふえるようですが、よいお餅で、餅の淡味、奥深さをわかっていただきたいと思います。

料理の本は、手を替え品を替えのお雑煮で飾っておりますが、家に伝わるものを、年毎に、とどこおりなく、清らかに、上達のあとをしのばせて作るのは、平凡の中の非凡と申せましょう。

祝肴三種も、煮〆も同様、一見なんの変哲もないようであって、年毎に、自分自身の成長を、そこに認められるようでありますように。毎年、同じものを、同じ器に盛り込む意味はそこにこそあるように思います。

右往左往し、変わったもの、変わったものを求めると、自分の姿は見えてまいりません。又、家族の者達の心にも、行事の折ふしに、同じ型の祝儀を見聞きすることのなつかしさを通して、家族意識はあたためられ、深められると考えます。

変えてよいものと、変えなくてもよいものの区別は、つねに賢く持っていたいものです。

終りに、よい調味料を紹介して、お料理の仕上がりのお役に立ちたいと思います。

○塩——粟国《あぐに》の塩。
○醬油——薄口「紫大尽」。これは、亡くなられた辻留先生のごひいきだったもので日本大豆、塩は沖縄のシママアス。水は炭でこし、木の樽で作られたものを用いています。この塩と醬油でことしはおいしいお出汁をご用意下さい。
○赤ざらめ——喜界島産（この島は日本で一番おいしい砂糖キビが育つところ）。甘味のぬけ方がまことによく、貴重品です。コーヒー、紅茶にも最適です。
○酢——備前の玄米酒酢。造り酒屋で作る酢は、現在、日本で二、三ヶ所となりました。そのひとつです。柚子をしぼりこんで用いられるということなしです。
○酒——「高砂」（甘口地酒）。数年前、同じく坂ノ下の『三留』さんに依頼し熊本よりとりよせました。正月のおとそ用にこれを用いると、みりんではくどくなるところを、さらっとよろしいようです。

来年の課題

駅の立喰いそばを食べなくなって、何年になるでしょう。御記憶の方もおありと思いますが、あのスタンドの周辺は、煮干しの臭いがただよっていたものですが、今は醬油の香りだけがそこはかです。

今年もお正月が近づき、ゆとりのある方も忙しい方も、それぞれ腹案がおありと思います。私は、雑踏にもまれて、何処かへ出るより、紅白の椿が点々と咲く冬の鎌倉がこよなく好き。特に三が日は、車の規制がお年玉。谷戸から谷戸へ散歩したり、正月番組で笑ったり。正月用の目先の変わった食べ物を、気のおけない人々と囲んだり。

静かに、けれど日常的でなく過ごせるように心組みしております。

常々、否応なく台所に立ちますから、台所に立たぬのが、私のよい正月。それで鎌倉は出たくない、台所に立たぬ様を両立させるのが、正月準備の最大眼目になってしまいます。

①火を使うだけで食べられるもの。

②盛りつけるだけでよいもの。
③切るだけでよいもの。
この三種を、出来るだけ重複をさけ、用意するのです。

むろん、このくらいの段取りをつけても、やはり、薬味を切ったり、ないものねだりで、サラダが欲しくなったり、水を使いますけれど。

さて、合理化の最たるものは、出汁の用意です。十二月中旬頃から、時間のかかるもの、つまりチキン・ストックなど、濃いめにたっぷり。魚の骨のスープも、魚の値が倍になる前に、フュメ・ディ・ポアソンを。

煮干しの出汁は、昆布と椎茸を合わせ用いて、煮干し臭を消してしまったもの。以上は、早め早めに冷凍してしまいます。最終、お煮〆を作りながら、昆布と鰹節の一番出汁をひき、一部冷凍。

ひいた出汁で、二杯酢・三杯酢・八方出汁を用意。マヨネーズ、トマト・ソース、ドミグラス・ソースは、何時とはなしに作っておく。出汁とソース類の用意、珍味の注文少々。これらを持てば、①②③の段取りに苦はありません。

日本の出汁は、異国のスープに比し、実はインスタントに等しい時間でひけるのです。

鍋洗いも、楽です。今秋、外国で行き会った日本人の顔色・体格の貧相に、経済大国の底に大穴があきかけている感を抱きました。日本の多くの家庭が初心にかえり、自分の手で出汁をひき、実だくさんの、季節の味噌汁を食べる習慣をとり戻さねば。高校三年生の平均視力〇・四の由——。食物だけの問題とは思いませんが。

立喰いそばから煮干しの臭いが消えた頃から、日本の家々の出汁があやしくなってきました。易きにつくのは明日でもできます。

「出汁をひこう、おみおつけを食べよう!」を来年の課題にいかがでしょう。

出汁

ひたひたと道の向うから押し寄せてくる「何か」を感じながら、新年を迎えます。

ガンジーは木綿を印度人の手に奪回すること、英国から必需品である綿布を買わされずにすむことから印度独立をはたしました。その為に、まず自ら綿を植え、糸を紡ぎました。今、私共にとって木綿とは何でありましょうか。見出したら、覚悟して綿を植えられるでしょうか。温帯育ち、白米白パン好みの私共に、それが出来るでしょうか。

今回は正月を中心にした日本の冬のあたたかい食物を読者と共に見直してみたいと思い

ます。

十二月に入ると、どちらさまも、

湯豆腐やまことつたなき妻の酌　容司郎

とりあえず湯豆腐から始まり、ちり、おでんと鍋やきに至るまで、鍋のある食卓を用意なさるでしょう。

とっくり炊いた白菜や大根の煮炊きものに、ふり柚子。あんかけ豆腐におろし生姜。埋み豆腐に、海苔、さらし葱。正月——祝膳の椀ものは言わずもがなのお雑煮、煮炊きものは、お煮〆。

ここで、汁もの、鍋もの、煮炊きものを、格式高いものからかっこみものに至るまで観てみましょう。ひっくるめて共通分母としてありありと現れてくるのは「出汁」です。出汁さえあれば——。反対に出汁がなければということも、ニセものの出汁で食べてゆく暮らしのことも、手にとるようにわかってきます。

日本の風土で生まれた食物は、出汁さえあれば、身近な素材を汁にしたり、炊いたり、鍋にしたり、なんと自在に食べてゆけることでしょうか。こう視えてくると、肩の荷は軽くなりませんか。

先年、鎌倉市の老人福祉センターで、百五十名程お集りの高齢者に「お宅では出汁をひいて汁を召し上がり、煮ものをしていらっしゃいますか」とおたずねしたら、二十名程しか手が上がりませんでした。高齢をこれ程助けるものの力を受けることなく年を生きておられるか、この方達から若い者は、何気なく生きる知恵を見せていただきたいのにと、あとあとまで想いが残りました。出汁をかくまで縁遠いものにした原因の一つには、料理解説があまりにもごたいそうだったことにあるのでしょうか。

なめられてもいけず、おそれさせてもいけず……、溜息が出てしまいます。

その上出汁の材料は十年前とひどく変わり、昆布の天然もの、天然干しなどというものを標準に、若い方を教えられなくなりました。

養殖昆布で、いかにして出汁をひくか、その研究をし、他人様を導かねばなりません。それでも私は出汁をひきつづけるし、皆様にも手放して下さるなと言いたい。何故でしょう。

昆布は減り、頼れる煮干しは限られた地域にしかなく、椎茸はどれが原木育ちか見きわめ難く——この事実から、我々にとっての「木綿」とは何か、「綿を植えねば」との決意もかたまるからです。

日曜のブランチ

今年の七草を摘み摘み鎌倉に住む幸せを、水浅葱《みずあさぎ》の空に感謝しました。なずな、すずしろ、すずな、ごぎょうなど、肌身に寒さのささらぬ間に、たちまち七種を手籠に満たしました。

とんとん、さくさく、青菜の細々を白く光るお粥に投ずれば、きよらかな野に香気が立ちのぼります。折りよく居あわせた若者にすすめましたら、「ああうまい、しゃれてる。こんなお粥はじめて。いいもんだなあ、身にしみる」と言い言いしんと食べる姿を、気の毒にさえ感じ、慰めがてら「貴男も家庭を持ったらお作りなさいよ。難しいところはひとつもないから、日曜のブランチは、こうしたもので、体調をととのえたら」と作り方を教えました。

青菜は、七草にこだわらなくてもよい。芹や三ツ葉などの香気あるものを一種とり入れたなら、三種でも五種でも。ただし、大根葉、蕪葉、小松菜などは、かならず中心部とその周囲の葉を使う。ほうれん草は適当ではない。

芹、三ツ葉、はこべ、なずななどは、ちょっとした心くばりで庭の片すみに育てやすい。大根、蕪などは、葉を食べるつもりで種をまけばよい。実《み》は八百屋で、葉は我が家のものを使う。これが私の農業。サラダ、清汁、漬物に、うろぬき菜の時より重宝。

米から炊くお粥はやはり土鍋が好ましいが、二重鍋の使い方を覚えるとよい。菜粥をさらりとしかも水っぽくなく仕上げるには、半カップの米でふっくら炊き上げた粥の火を止めたら、一カップの熱湯をさし、青菜の細々を投じ、塩を加え、木しゃもじで切るようにまぜる。決して玉しゃもじではまぜない。カップ一杯の熱湯を炊き上がった粥にさし加える人は、まずいないと思う。秘訣よ。

冬の青菜は寒さに耐えて、葉緑素の薬効成分が高い。葉緑素は速効性の浄血作用があり、中和解毒の作用もある。夜食、酒席の流れに是非食べるとよい。野のものは精は強いから、粥の熱気で蒸れるくらいの熱の加わり方で適当にアクが治まるところも、菜粥の合理的なところ。——と、いつの日か、季節に誘われ、彼なりの旬の菜粥で団欒の食卓を囲む日もあろうかと、話を終えました。

菜粥には、生臭みのない蛋白質がちょっと欲しく、私は卵黄の味噌漬けなどがもっともうれしい。味噌漬けまでしていられない方は、美味しいもろみを。黄味がポトリと入る程の容器に卵黄を置き、上からもろみをきせかけ、一夜冷蔵。これは、炊きたての御飯にのせると、とてもとても美味だから、なんらかの形で、お粥にもとり入れられるはずです。粥と香のものの合の手に、柚子ねりや金柑の甘煮はほのぼのと好ましいのです。大分県湯布院『玉の湯』『亀の井別荘』のものは、いかにもやさしく粥に添ってくれます。

鏡餅

成人式を見送ると、ほっとする静けさが、この町にもどります。

いつの間にやら風が梅に香っていることも、我にかえったように気づきます。大寒の季節は流感の心配さえなければ、様々な仕事の出来る大切な時節です。「寒の水」「寒の風」。

水は絹や麻をさらし、上質の紙をすくのに欠かせません。

「風」——食のまわりをめぐるこの季節の光と風は、神秘的とも言える効力をあらゆる乾物類に与えます。昆布、鰹節、干し魚。椎茸、かんぴょう、高野豆腐、切干し、干し葉、豆の類。ものの核心に働きかけたと言うより、言いようがない変化をもたらします。

生椎茸と干し椎茸。電気乾燥と天然干しの味の差。小学生にもわかる味の相違です。寒の風の質は、単に冷気、乾燥以上の何かがあるように感じられてならないのです。ましで鎌倉の風は、ビルの谷間を排気ガスと共に吹きわたる無情の風ではありません。海の気、山の気を運ぶ風です。

真冬の陽光で背をあたためながら、乾物を作ったり、手入れをしたり、ふり仰ぐ空には鳶が舞う――大好きな一時です（当然電気乾燥も仲間にし、本来性をあたえます）。

お鏡開きを待ちかね、家では鏡餅を割っては干してゆきます。割りにくくなれば、又干してひび割れを待ち、そして割ります。

からから、ころころ、音が軽くなるにつれ、お餅の小片は透明になってゆきます。芯まで乾くのに何日かかるか定かではありません。寒の風にあてられるだけあてています。口がねじりの広口瓶なり、缶なりに保存すれば全く傷みません。

これらは、すべて揚げ餅にし、一年を通して、お茶受けに、酒のつまみにいたします。どこが、どうして、お煎餅屋さんの揚げ餅と違うのか……。とにかく段違いに違うのです。

餅のこく――けっして風船のようではない、歯ざわり、油も違いますし、塩加減も適度なのです。

たてまえは正月飾りの伝統を守る、本音は一年分の揚げ餅用という長男族もいらっしゃる程ですから、お供えをかびくさい水餅などになさらず、揚げ餅で一年中美味しく召し上がって下さい。

干し方は見当がおつきと思います。揚げ方は芯を残さず揚げる。成功するまで挑戦なさって下さい。

中華鍋に新しい油。中火でゆっくり温度をあげます。一六〇℃程に達したら小片を入れ、一呼吸程の間で浮くようだったら揚げにかかります。餅はふくらむから、ひかえめに入れましょう。はじめ、しゃわしゃわぷすっと花を開かせます。それからは温度を落し、さくりさくりと餅をまぜまぜ、ゆっくりと揚げるのです。餅よりぐっと低温で昆布も揚げて添えます。目新しいことでなく、こういうことを毎年くりかえしなさる意味は、いずれおわかりになるでしょう。

かけがえのない寒の風

寒む夜の三日月が切れもののように、さえかえる夜が続くと、大寒の近いことをひしと感じます。冬は大の苦手、ともすれば真綿にくるまり気味ですが、それでも寒中のかけがえのないことだけはいたします。

鎌倉の谷戸は、どちらも風の溜り場なのか存じませんが、ここ浄明寺の谷戸は風が廻りまわる所のように思います。その証拠に、大雪の日は、御近所に比べここだけ豪雪となり、損害保険で屋根の修理をしてもらえる程、雪が舞込みます。それで雪は桑原桑原ですが、風は大歓迎。舞いまわる寒風で、様々な乾しものを仕上げる楽しみがあります。

鮭の寒塩引き風、生ハム、大根切干し、おそなえ餅の寒ざらし、乾物の手入れなど。

鮭の寒塩引き風とは、新潟県村上地方で作られる寒塩引きのようなものの意味です。暮れに頂戴する塩引きを、もてあまし気味におちいらず、最後の一切れまで、美味しく重宝させていただこうと考え出したものです。鮭一尾、頭とかまは、昆布巻き用とし、本体は、新潟の村上衆よろしく、流水にあてつつ、すりへったたわしで、五十分程、みがきぬきます(村上地方では一時間半程の由)。これを、きっちりふき上げ、腹身に割箸をかって、腹を拡げ、尾を紐でくくり、三階の北側、風の無い日も、風の動く、のき下へつるします。寒の風に三週間。皮は銀藍色に光りつつはり、身は透明を帯びてきます。ここらで、身の弾力を確かめ、そろそろ焼いてみようかということになるわけです。

乾いた鮭を筒切りにする、むっちりとした手応えは、他の干し魚にない、充実そのものです。一回分切り落したら、又風にさらします。このように、食べられるだけ、切りとってはのくりかえし。最後に木片のように乾き切った尻尾の筋肉は、薄くへいで、そのまま、酒をふり、誰にもやれない、珍味となります。

塩鮭の利用法は、様々の工夫で見聞きいたしますが、水洗いすることで、塩分も相当ぬけますし、副材料に金はかからず、仕上げは風まかせの手間入らず。第一ゆっくり食べこなせるのが気に入っています。塩引きを焼く場合は、かならず行儀切り。覆いをして、ふっくら焼きます。牡丹の花びらのようにほぐれる、香気を帯びた鮭のお茶漬け。両国『西沢屋』の、江戸前の海苔とわさびで、ほんとに〝おいしい！〟。合の手は、色白のはりはり。実は、これが今冬の自己満足の一級品。有機栽培で皮も旨い大根に出合い、これならと、四〇kg干しました。煮てよく、味噌汁、漬物によく、煮炊きに出汁を用いたくない程の旨味を備えています。

切干し作りは、会社勤め、休暇帰国の甥に、わざと手伝わせました。

「全部、三㎜に切って頂戴」

「よし、こういうことは得意」

干したものの天地返しもさせました。切干しと里芋の味噌汁は甥にとって、手にも舌にも残る、日本の冬の味だったと思います。

心尽くしを受ける心

冬の食卓に何か一品、あたたかく湯気たつものを添えたいという気の動き、又その心尽くしを〝これはこれは〟と受ける心。

三十余年も前になるでしょうか、円覚寺の塔頭、帰源院の老僧は、私共の大好きなお客様でした。墨絵の中からぬけ出したようなお人柄で、奥様亡きあと、赤ちゃんを背に、戦中戦後の塔頭を守られた方でしたから、人の心入れに敏《さと》く、そのおねぎらいには、さらっとしたやさしさが溢れていました。

充分あたためた器に盛った煮炊きものを手になされば「器まであたためてもらって」と給仕したはずの人に目をむけて下さいました。

帰源院さんが黄土色の衣姿で、父とお酒をくみ交わし、煮ものの器をかかえるようにして召し上がった姿。あたたかいものと冨沢老師。折にふれ思い出されるのは何故でしょう。

日本の冬のあたたかい食卓に結びつくのは鍋ものだけれど、一方蒸しものという上品もあります。蒸すという仕事は、電子レンジ以来おいおい棚上げ気味で、その理由はよくわかります。けれど、素材を間接的に蒸気で加熱するから、持ち味、姿形を傷めず、のびのびとやさしい味にまとまります。せっかくの、〝蒸す〟という手法を〝面倒くさい〟という理由でかえりみないのは勿体ないと思います。

蒸しもので皆様のお馴染みは茶碗蒸し、関西の方はかぶらの上等が容易に手に入るからかぶら蒸しも難なく作られます。美味しい蓮根が育つ金沢方面では「はす蒸し」といって、蓮根のすりおろしと鰻の蒲焼きの重ね蒸しを作ります。

蓮根の性根と鰻のとり合わせは上々で、百合根、銀杏もあしらい、わさびを添え、少々甘口の葛あんをかけます。

作り方は明瞭。材料は一人分として、すりおろした蓮根を半カップ弱、蒲焼き四分の一串程。あれば、百合根、銀杏。薬味はわさびかおろし生姜。仕上がりに甘口の葛あん少々。蒸し茶碗に、はじめにおろし蓮根をしき、次に二㎝角程の鰻、次に蓮根、その上に鰻、最後を蓮根で覆う。百合根、銀杏は間々にちらします。蒸し上がりに、葛をひき、おろしわさびを添え、あつあつにあつい蓋をきせて供します。

葛あんを、濃くも薄くもなく、ひくのが、少々気骨が折れます。それだけのことですが、文句なしに上品な御馳走めいた一品となります。その上経済的で、栄養のバランスも満点です。ただ、関東の蓮根では、どんな自慢の蓮根でも、味になりませんから、一手間かかる蓮根料理はおすすめしません。土目・風土という超えがたきものを体験するだけに終わりますから。

当節、金沢近江町市場から宅配が可能ですから、取りよせられぬことはありません。二月末迄蓮根の旬。かかえこみたいような一品もよいではありませんか。

漬物考

鎌倉駅から八幡様までの限られた道筋に、ふって湧いたように漬物屋が二軒ふえ、合わせて三店になりました。鎌倉とアメ横は違うのにねぇ——と思います。漬物は百貨店の食品売場で、黙っていても毎日の〝三十万円商品〟とデパートマンから聞いたことがあります。

胡瓜とまだ言えず「キューヨン、キューヨン」——よだれかけで、もみじのような手をさし出し、糠漬けをせがみ、一片もらえば、正座して、小さな歯でコリコリ。惜しみ惜しみ食べていた甥の息子。今では柴漬け入りお結びが大好物と言います。誰が漬物をすすめたわけではないのに、早や五歳にして動かしがたい民族の味の好みらしい。

大根の柚子漬け一六〇g四百円、胡瓜ふる漬け一六〇g四百円、千枚漬け一二〇g六百円、梅干し二二〇g八百円。一六〇g—四百円は、四人家族でおそらく、一回分。梅干しは二二〇gで二十粒、一粒約四十円、これは高い方でなく、一粒百円や二百円もある。

大根一本二百円、小蕪一束百五十円、胡瓜一山二百円、梅一kg六百円、天然塩一kg八百円。大根一本に要する塩の量は約三〇g、合計二百三十円くらい。甘酢につけるとしたら加えて百五十円。計三百八十円。四人でたっぷり五日間食べられるはず。お金の価値は五倍。いまの世に即刻五倍になるマネービルがあるでしょうか。梅干し、沢庵、あらゆるお菜漬は昔々字を読まぬ人でも作りましたし、保存食系のものは、ホルモンの働きの落着いた年齢の人が作るにかぎるとさえ言われました。

先の漬物屋の常客は、幸いミセス鎌倉でなく、観光客さんのように見受けます。嫁入り前の娘さんにものを教えねばならぬはずの方々が、試食しては買われます。

漬物袋の裏の表示をみると化学調味料は総てのものに入り、種類により、人工甘味料、保存料を使っています。

漬物にどうして、化学調味料を添加せねばならぬのか。保存料と防腐剤はどこが異なるのか。厚生省が規制に乗り出す段階では、人間にとって手おくれ、特に幼児にとって、とり返しがつかないことに違いありません。

毎年、長逗留する東北の湯治場は世界屈指の名湯、難病者が頼りにたよる湯です。ここの朝食は十品程のお菜を大皿盛りで出すブッフェでお客の楽しみなのですが、年々漬物がひどくなってきました。東北であるにもかかわらず梅干し、胡瓜、茄子、総て化学漬物。難病の湯治に化学漬物を出す方も、大皿が空になる程食べる人々も無知です。村起しも兼ね、天然漬物の契約製造を始めたら一石二鳥でしょうに。

白い御飯の大好きな私達にとって漬物は断ちがたい。「キューヨン」らしいから、難しく考えず、一夜漬の基本――野菜に対して〇・五％の塩分、少々の唐辛子で食べてゆく初歩型、有り金を「五倍～七倍にしてやるデ」と経済型でゆくか。とにかく、「やる」人がふえてほしいもの。

もののともの事の本質

お餅を焼く。ぷぅっとふくらみ、色よい焦げ目がついたら、用意した熱湯に瞬時浸し、きな粉をまぶして、よくあたためた皿にとる。

あべ川というものは、たったこれだけの手数で、なんと女性的で美味しい食べものになることでしょう。

きな粉にそれとなくしのばせる塩味。習慣的なひとつまみなのですが、このひとつまみの欠落したきな粉は、塩を忘れた小豆の御飯のようにもっさりとして、どうしたってきな粉の香ばしさが活きてきません。味の焦点とはふしぎなものです（冬はあたたかなココアの季節、これにもひとつまみの塩を入れるのを御存知？）。

今年はあべ川を濃緑のよもぎ餅で食べています。口中にひろがる野草の香りに、ここまでの緑にするには餅一枚にどれ程のよもぎを使うのでしょう――茹でて、きざんで、きつく水分をしぼり切る。梅干し大一ヶ分くらいではないでしょうか。――よもぎの本性の強さから推し量ると、餅二枚で優に青葉の浸しものを小鉢にたっぷりとるくらいの効果はあるのではないかと考えてしまいます。

むろん、この場合よもぎの乾燥粉でなく、生葉を重曹など使わず、灰汁で茹でたものであってほしいもの（お庭のとれとれなら塩湯で充分）。よもぎは医草と言われ様々な民間医療に使われているくらいですから、小松菜やほうれん草を食べるより効果があるかもしれぬと、原稿の〆切に追われる日などよもぎ餅のあべ川は目下のおしのぎ。

加えて、モーニングカップでたてるお抹茶。私のモーニングカップは、いわゆるマグカップでなく、大ぶりのカップアンドソーサー。磁器であるが、陶器に通じるやわらかさを持っています。淡いピンクと緑のタータンチェックの英国製、決して高価ではありません。使い込むうちにあたりがやわらかくなり、ふと旅道具感覚で「お薄を」の気持ちが湧きました。

ソーサーのあるところが抹茶茶碗にない効用で、お盆がわり、原稿用紙のかたわらに安全に納まります。

抹茶の当代性というか……でありがたいのは、濃い薄いの調節が自在であること、次に最大に嬉しいのはゴミの出ぬこと、ゴミの始末で一番きらいなのはお茶の葉、コーヒーの始末ですから。

視点というものはつい固定化してしまいますが、ものと、もの事の本質を見つめれば、弾力性はおのずから備わるもの。ものともの事の本質は瞬間的につかめるはずのものだと思います。これが困難になる始まりは、よもぎ餅でいうならば灰汁のかわりに、簡便の故に、重曹に手を出すようなことが度重なると、人間のアンテナは鈍麻してしまいます。しかも劣弱となったものが次の世代に伝わるのです。

一度易きに着いたものを本筋にもどすのは倍の努力を要します。ここ二、三年が日本人の正念場のような気がしてなりません。なにもかも、いずれの分野に於いても、小さなことから、本ものにもどしたいもの。

調味料の章

調味料ということ

世に「味をつける―お味つけ」という言葉があり、私も幼少より耳馴れております。何時、誰が言いはじめたのでしょう。おそらく何時とはなし、誰からともなく使われ、とうとう料理言葉になってしまったのだと思います。

言語はその魔力によって時に人を惑わせますが、これはその方の一例で、多くの方々は「味はうまれるもの、うまれさせるもの。味はひきだすもの、組み立てるもの」と申しますと、耳新しく感じられるのです。

なぜでしょう――〃味つけ〃という言葉によって「味」が仕上がってくる仕組みの過程を、全く軽く、おろそかに観ることになったからではないでしょうか。たった一言の〃味つけ〃という言葉で、味のよってきたるところは、大いに曖昧化されてしまった感があるのです。

さて、味はうまれるもの、ひき出すものという原則に於ける調味料の役割とはなんでありましょうか。素材の性格に従って、適切な調味料を、的確な時間に、適度に用いることによって、素材は初めて、おのずから持ち味を現わします。ですから調味料は味の世界の産婆役をはたすと言ってもよろしいでしょう。

このことを念頭にお置きくださり、この後の解説を読みすすんでいただきとうございます。

調味料と言えば大むね、塩・味噌・醤油・砂糖・酢・酒・みりん・油脂を考えますが、梅干し・梅酢・麹・甘酒・白酒・酒粕・塩辛の数々、うに・このわた・魚醤《ぎょしょう》の類。生ハムなどの塩蔵魚肉類、乳製品も調味料の仲間に入ります。さらに、常備してある二杯酢・三杯酢・各種の洋風ソース・デュクセル・ペースト。果実の砂糖煮さえも、非常に便利、独創的な調味料となります。調味料に対する関心は、一般の料理素材と等しく、或いはより慎重に吟味なさらぬと、味の上でも、健康の面でも損をなさいます。

たとえば、

・精製塩、JTの塩で清汁、お菜、保存食の加減をきめようとなさる方があります。――TVでも。塩は旨味の究極のもので、素材を活かすもころすも塩とその使い方にかかっていますのに。

・一年仕込みの味噌と二年味噌はどうしても価格が違います。しかし二年仕込みで野菜のおみおつけを仕立てれば出汁は不要なくらい。生きる喜びさえ感じます。一kgにつき五百円を惜しむのは愚にさえ思えます。

・刺身嫌いの方はまずないほどですのに、そのつけ醬油、ましてツマについて前談義を聞くことはまれです。又とない白身をストレートの濃口醬油たっぷりなど、泣きたくなる光景です。

・紅茶やコーヒー。飲んだあとでどうして一口水がほしいのでしょう。お茶にこだわっても、単なる白砂糖ではね。

良質で、適切な調味料を、時間的にも量的にも的確に使ってゆく、大方の皆さまにとってはレシピの世界のこと、私等にとっては一生かけてのこと。

味噌のこと　その一

味噌という食べものは、千変万化、多様性に富み、汲めどもつきぬ面白みを備えています。なぜなら第一に栄養源であり、調味料であり、香辛料であり、保存食でもあるからです。

加えて、西の白味噌に始まり、岡崎の八丁味噌に至る迄、甘、中辛、辛の各種類。これにお郷里《くに》自慢のおなめの類、大徳寺納豆迄を数えると、チーズの及ぶところではないように思います。

我が家の味噌料理、調味料でしたり香辛料でしたり、保存料でしたりの十二ヶ月を挙げてみますと、あらためてその多様多種の個性を歴史の中で巧みに使いこなしていることに気付きおどろきます。

「冬」。大根と里芋が本格的に美味しくなると、大根と油揚げの汁を炊きたての御飯とかわるがわる食べ、霜柱をふんで学校へ飛んで行った頃を思い出します。冬と野菜の味噌汁はきってもきれぬ、風土とそこに生きてきた人間の関わりそのものだと思います。

野菜の汁は中辛でおおむね美味しくまとまると思いますが、豆腐の汁は白味噌をかたせると寒さによく合います。ただ、関東には白味噌のよいものが来ません。道中はクール便、各家庭には冷凍庫の世になったのに——ソルビン酸の使いすぎは大よわり。

冬は鍋もの。昨今大流行とか、目先を変えたい日は「牡蠣の土手鍋」をおすすめします。土手鍋の名は、おそらく鍋のふちに味噌を土手のように張りつけるからでしょうが、土手では塩分過剰故、片隅か中央に味噌を置きます。具は牡蠣、冬葱、焼豆腐、しらたき、白菜の茹でたもの。味噌は中辛に白味噌四分の一程加え、牡蠣の臭いを適度におさえます。

味噌のこげ風味が美味とつながるこうした料理は、韓国の石鍋をお使いになることをおすすめします。大した鍋だと思います。

大寒の珍味は、寒鮒《かんぶな》の鮒味噌。鮒、大豆、岡崎の豆味噌の代表八丁味噌との組み合わせの妙。淡水魚の臭いを八丁味噌の香気で治め、魚と豆の蛋白質を巧みに食します。商売筋でなく、郷土の名家に絶品がある。鮒味噌は、よい鮒も入手困難、作るには年季がいります。

「春」。あっという手間で舌鼓をうてる酒肴に蕗のとうで作る蕗味噌があります。立春間近になると、鎌倉の山裾から蕗のとうが掌に摘めます。灰汁で茹で、水でさらし、少量の胡桃味噌で和えます。ほろ苦い三箸ほどと熱燗とは、春を待つ人の心にしっくりと寄り添うこと。

「仲春」。海辺に立つと大島が紫をおびてかすみ、のどかな浪がおいしい貝を育てると〝ぬた、辛子酢味噌〟の季節が来ます。和えものがどうして手のかかるもの、むつかしいものになってしまったのかしら。

白味噌に中辛を加えたねり味噌は、充分ねり上げておけば三ヶ月は常備出来ます。和えもの、木の芽田楽などに展開するのはいと易い。春の山菜、菜の蕾の味噌漬けもまず手間ひまいらずのものですが、料亭のものと思い込んでいらっしゃいます。

味噌は日本の調味料の中で一番面白いものということを、次回も実例で感じていただきたい。

味噌のこと　その二

今回は晩春から初冬に至る味噌ならではの味と仕事を書いてみます。月毎で書けば楽しさは格別と思いますが、反復をまぬがれ得ぬので〝仕事別〟で話をすすめようと思います。即ち「汁」「ねり味噌の周辺―和えもの、田楽、各種ねり味噌―」、つづいて「焼もの」「煮もの」「鍋もの」「味噌漬け」。

○「汁もの」　汐干狩の季節は、清汁にしろ味噌汁にしろ、貝の汁はありがたいもの。

春は神経が不安定な季節、貝のカルシウム、リンはなんと時宜を得ていることでしょう。残業に疲れた夫、入試で無理に頭を使った子等をねぎらえる方法がこんな手近なところにもあります。気働き次第って、一つの女の幸せですね。

貝の汁の展開に鍋仕立てがあります。蛤（あさりでも）を白味噌仕立てに――よもぎ麩・わかめ・うど・三ツ葉・芋などをあしらいます。春の章でも記しましたように、美味しいおすしに鍋仕立てのお代わりをすすめ、こんな簡素で夜桜の宴が可能になります。

初夏は、じゅんさいや新ごぼうのささがき八丁味噌仕立て、一口すすって、そら豆のあつあつ、磯魚の塩焼きを蓼酢で——なんと申し分ない、初夏の献立！

盛夏の汁は、苦手の方が多いと思います。だからこの季節、八丁系を焼き味噌にして召し上がるとよいでしょう。秋から冬はなんでも旨い。中でも、我が家の汁兼お菜で智恵深いものに、焼鯖と葱のぶつ切りの汁があります。江の島沖の小ぶり鯖が適しています。

○「ねり味噌仕事」の周辺は伝承せねばならぬもので一杯。

田楽には串のあるもの、ないもの、二通りあります。田楽の極めつきは、木の芽田楽。〝菜飯《なめし》に木の芽田楽〟、なんて間がいいんだろう。菜飯の筆頭はなんてったって、あの香高い嫁菜（秋になると野菊になるのを御存知？）、うこぎ、蕗の菜、くこ、大根葉がこれにつづきます。

夏は茄子の田楽。茄子と肉はよく合うので合挽きの肉味噌を常備し、茄子の鍋しぎ焼きを肉味噌でからめます。これを加茂茄子のオーブン焼き田楽に応用すると、盛夏のもてなしに使えます。

秋の田楽は、各種の根菜を薄味で炊き、胡麻味噌、柚子味噌をかわるがわる添えていただきます。これは円覚寺塔頭、帰源院の老僧が殊更喜ばれたもの。

魚田では、辰巳風鯖の魚田が、『野田岩』の鰻にまさります。これは八丁味噌のお蔭。

○「煮もの」　味噌で食べる煮ものの代表はやはりふろふき大根、葱味噌でね。

魚の煮ものは鯖、鰯、にしんの味噌煮。鳥の丸（鶏肉・うずらの鳥だんご）には、少量の白味噌をしのばせ、肉の臭いを治め、味わいに丸みを添えます。鳥の丸は、白菜や蝦芋と炊き合わせたり、又多めに作りおき、鍋にも使えます。
○「鍋もの」と言えばほうとう・味噌煮込みうどんも忘れてならぬ美味のうち。
○「味噌漬け」魚の場合、白身の魚は白の粒味噌に、青背のものは赤味噌を用いる方がしっくりします。肉類は弁当に重宝、卵黄（寒卵）の味噌漬けも熱々の御飯においしい。春の野菜の味噌漬けは、山菜類が美味。蕗――つわ蕗は別格で酒肴、お茶事などに最適です。

醤油のこと　その一

〃五体満足〃でありがたい、ありがたいと言いますが、このありがた味は、不足を生じた時、より深く悟るように出来ているようです。〃あってあたり前〃を認め大切にし、その想いを生きるのは、〃亡くなって知る親の恩〃にならぬよう心がけるにひとしいもの。

米、味噌、醤油。あってあたり前、美味しくてあたり前でしょうが、あってあたり前の神秘は深く、その衰えは生命をも左右することがあります。

「もしも、醤油がなかったら」という目で、骨肉ともいえる日本の「食」を見直してみますと、目前の食物が八割がた、生まれ育っていないか、又は顔色を失います。

まっ先に思い浮かぶのは、お家芸の「お刺身、握りずし」。味細やかな魚に恵まれている国柄故の食方法くらいに考えてきましたが、醤油を得てこその生身料理の発達に思い至らねば不公平だったと思います。

「そば」と醤油の関わりは、麺とつゆ、五分五分の食べ心地から推して、のっぴきならぬもの。醤油がなければ、そばという穀物は、麺という姿で私共の口に入らなかったでしょう。

日本料理の秀美、世に類のない「椀盛」は季節の海山のものを取り合わせ、さながら風土の集約を掌に受ける感がありますが、諸外国の汁ものに比し、美々たる具を盛り込み、そこに調和を創り出し得ましたのは、ひかえめな出汁の故かと思います。ひかえめでありますが、薄っぺらでない清汁の味加減、これは最後に少々落す上質の醤油の賜ものです。

しみじみ、すんなりお腹におさまる日本の野菜の煮炊きもの、浸しもの、酢のもの。なぜに落着いて食べたいだけ食べられるのでしょう。それは野菜料理に油脂を用いないから。なぜ油類を使わずにすむのでしょうか。それは出汁を醤油、味噌という塩角《しおかど》のとれた熟成塩分によって調味出来るゆえに、油脂に頼らずとも、もののくせを押え、旨味を添えることが可能だからです。欧州の家庭に滞在し台所を手伝うと、出汁と醬油のありがたさがありありと見えてきます。総ての味加減は塩そのものを使います。塩角をやわらげるには、どうしても油脂分を用いざるを得ません。彼の地の、アンチョビー、生ハム、チーズなど、熟成塩分として使わないことはありませんが、味噌、醬油的には使えません。どの料理にも油が入る↓肥満↓足の不自由、無関係ではありません。

塩角が丸く、含み味に富む、穀醬《こくしょう》からなる塩味を持つことの幸せを、再認していただきたいもの。異国へ出る意味はこんなところにもあります。

醬油は、濃口に煮ものに適したもの、煮ものの仕上げに加えて効果的なもの、つけ醬油として使うものがあり、薄口、白醬油も、それぞれに使います。コーヒー、紅茶のブレンド、チーズを知るのもよいですが、まず掌中の宝を使いこなしてはいかがでしょうか。

醬油のこと　その二

味の解説は、よい音楽を言葉に置きかえねばならぬような歯がゆさがともないます。ましての「五味」即ち〝塩・甘・辛・酸・苦〟に就いては、生来の視覚障害者に色を語るようなむずかしさをともないます。最上の五味を幼児の頃より、体験しておいていただくことが何よりと思います。今回は醬油の見分け法、種類、使い方などを出来るだけお話ししてみます。

㈠見分け方

標準は普通の濃口が適しています。醬油を白地の小皿に受けます。私にとって、その第一はぶどう酒などと等しく「香り」です。よいものは上品に通ずる熟成の香気があります。低級なものは下品な異臭に通じます。「色」は透明感のある美しい、ほれぼれするような赤褐色を見ることが出来るもの。黒くにごったり、わざとらしい紅色がかったものは避けます。「味」は塩角がまろやかで、旨味、甘味、塩味、渋味、苦味などが混然としていること。「のび」、よいものは薄めて旨味が目減りしません。「ねばり」、醤油を受けた皿を傾けた場合、のびがあること。

(二)醤油の種類と使い方

・濃口醤油――一般的なものは煮たり、焼いたりに使います。極上品は、絶対に常温に置かず、清汁の仕上げ、つけ醤油、かけ醤油として使います。二杯酢、三杯酢、胡麻和え、白和えなどの和え衣の調味に是非極上をおすすめします。

・薄口醤油――清汁のお加減、二杯酢、三杯酢、和え衣に醤油の色を好まぬ時使います。

・白醤油――玉子料理など、醤油の色をひかえたい場合に用いるのに都合がよいもの。

・甘露醤油――濃厚な醤油で、鰊の煮もの、昆布巻きなどの仕上げに用いると非常に効果的。きんぴらごぼう、筑前炊きの仕上げに香りとして少々落すのも中々よろしい。目下小瓶がないのがたまにきず。

以上、大まかな種類と使い方です。次はもう少し細やかな使い方。

赤身の鮪や鰹は、ヒゲタの「玄蕃蔵」という江戸前の醤油が使い甲斐があるように感じています。白身の刺身は薄口・濃口半々、それへ柑橘類のカボス、柚子、すだち、橙などを少々落していただくと白身によく添います。

これから夏にむけ、冷や奴の季節、豆腐をうける醤油がいつも気になって致し方ありませんでしたが、「玄蕃蔵」が出来てから、やはりほっとしています。刺身や握りずしを、溜り系の醤油で召し上がる地方もありますが、私達にはよくわかりません。

醤油を用いる加減でもっとも微妙を求められるのは、お清汁でしょう。春夏秋冬で、塩と醤油の分量を調節しなければなりません。

初夏から盛夏にかけては、塩をひいきめに薄口醤油でしめくくる。秋風を肌に感じはじめる頃からは、塩をひかえ、醤油を主体に調味します。「醤油」の二字が文献に見られるのは天文年間（一五三二―五五）大草料理書。「醤」の字はさかのぼって万葉集。先祖達が醤油を手にした時と同じような感動と感謝を、時に新たにしつつ使いこなしたいものです。

酢のこと

四季の移り変わりと共なる、からだの四季、味覚の四季。しのぎにくい日本の夏に、油を用いぬ〝酢のもの〟という食方法を考案された先人方に感謝しつつ筆をすすめたいと思います。

酢は紀元前一四五〇年頃、すでにイスラエルにあったようです。旧約聖書・出エジプト記のモーゼは、エッシツヒゲヌス、つまり〝酢〟という言葉を使い、又同・ルツ記には、酢で作る冷たい飲物を飲んで体をいたわることが書かれています。

日本での酢の醸造は応神天皇の頃、酒作りの技術と共に中国から入ったと記されており、万葉集には次のようなその頃の食傾向をしのばせる歌があります。

醬酢《ひしほす》に蒜《ひる》搗き合《か》てて鯛願ふ吾にな見せそ水葱《なぎ》の羹《あつもの》

ひる（のびる）の刻んだものに醬と酢を加え、鯛を食べたいという歌です。

平安時代に入ると米酢や酒酢に加えて、梅酢など様々の果実酢も作られていました。しかし、酢が料理と深い関わりを持つようになったのは鎌倉時代以降で、江戸時代に入り、本格的に和えもの、御飯に酢をまぜる現代風のすしが作られるようになりました。醬に酢をまぜて鯛を――と願う進化した味覚を持ちながらも、和えもの、すしに至る道程はなんとゆるゆると年月がかかったことでしょう。

酢はさわやかに食欲を刺激し異臭をやわらげ殺菌的効果もあると同時に、摂取した食物、中でも炭水化物の燃焼を酢の成分が助けることがわかってきました。夏に酢のものが欲しくなるのは、その時節炭水化物の代謝がとどこおりがちになるため、自然に酢の助けをかりたいという人間生理のゆえです。

酢には、醸造酢、酢酸酢、ポン酢、果実酢があります。

醸造酢は酸味に加えて甘味をふくみ、香りのよいものです。酢酸酢は、酸味の後口に苦味が残ります。ポン酢は柚子、橙、すだち、レモンなどのしぼり汁そのもの、又はそれを土台にしたもののことです。

果実酢はぶどう、りんご、柿などから作られます。梅酢は、梅干しを作る過程で出来る酢で殺菌力に富んでいます。酢のえらび方は酸味と同時に香りを尊ぶ調味料であること。又、上質の米酢はかならず希釈にたえ、塩を加えると言うに言われぬ旨味がうまれるものです。

ワインビネガーの安物は酸味が鋭いので出来ればバルサミコをお使いになると間違いがありません。樫の木の樽で五年もねかせ、色は黒いがまことにまろやかなもの数滴で、日々のサラダをおすすめします。

バルサミコを前回ご紹介した江戸前の醬油「玄蕃蔵」に滴々と落し、鰹の刺身をお受けになるのも別趣です。

米酢の醸造臭は、柚子、レモンなどで容易に消失します。今夏、胡瓜もみを、醸造米酢を一番出汁又は昆布出汁で希釈し、花かつおで召し上がってみてください。

油のこと

夏はさっぱり好みとは言うものの、からっと揚がった天ぷらやフライを美味しく感じる季節です。幸い鎌倉には、江戸前の赤い天ぷらを揚げる『ひろみ』さんがあり、盛夏はつい足がむいてしまいます。

あれは二十五、六年前になるかしら、やはり夏だったと思う。カウンターのはす向いで銀髪痩身の紳士が、この店独自のこんもり大ぶりのかき揚げ一つの注文で、軽い一膳の御飯を召し上がりはじめました。なる程、一通りのあれこれでなくかき揚げ一つという賢い食べ方もあるかと、ついでに、ついつい、その方の箸のすすめ方も気になりました。

昼時のにぎわいの中にあって静けさの輪郭がその方を包み、天ぷらを食べるような日常性をそれとなく集中し、なんとももののきれいに、しじみの汁、かき揚げ、御飯、香のものを交互に召し上がり終えられました。どなたと忘れ得ずにいましたら、小林秀雄先生とわかり、すべて納得しました。

今回は主として植物性油脂のことを書くはずで、つい、油―天ぷら―かき揚げ―小林先生という繰出しになってしまいました。

さて、本筋の油ですが、こんなに溢れるように各種の油が手に入り、惣菜売場の主力は油ものであるにもかかわらず、私共はまだ油の本質を熟知していないように思います。なぜなら、私共が油を用いるのは、主として揚げもの、炒めもの、焼きものの範囲ではないでしょうか。私は中国料理法を知りませんので、主としてオリーヴオイル圏との比較になりますが。私共以上の使い方の一つに、もののあく・臭みをやわらげる、旨味を添える、保存食・常備菜に防腐効果を計算にいれて使う、があります（主婦達のあたり前仕事なのですが……）。

あくをおさめる一例として面白いのは、豆を茹でる場合、日本では二度も三度も水を替えますが、オリーヴオイル圏では豆の性質も多少異なりはするものの、油を落として茹で、あくを解消し、又どういうわけか早くやわらかくなります。

保存的に用いる場合は、各種の野菜を香草、スープ、調味料、加うるにオリーヴ油を張って炊き、そのまま冷やし常備するのですが、野菜のあくも治め防腐効果もあります。風土性を秘めた巧みな油の使い方を目のあたりにすると、生まれ育ちの違いを認めざるを得ません。

明治以来、肉を食べてはいるが、私達が動物を食べこなしているわけではないところと似ているような気がします。

昔々大昔、日本には油をしぼれる種実は少なく、なんとかしぼったものは神仏の燈明として用いられ、人々が食物として用いるなど思いも及ばぬことであったとか……。発生の昔がこんなにいつ迄も尾をひくものかと思います。ではどうしたら油の本質に近づけるのか、それは第一に〝知らない〟ことを認めること。第二に最高の油を求め、その生油を味わい、これを基準に各種の生油を折りあらば、なめ比べてみることから始まると思います。小林先生のような常住の集中力がなくても、普通の集中力でわかるはずです。

甘酒

世界、いずれの民族も、それぞれの食文化の頂点に置く食材を持っています。日本に於てそれは「麴」と言って過言ではないと考えています。

「麴」というと縁が遠く、見たこと、ましてさわったことなどない方がふえたはずです。しかし私共にとって骨肉のような、酒・味噌・醬油。麴なくして世に出現しませんでした。

熱燗を傾けながら、この酒蔵の麹の遺伝子などと考えたら、急に酔がさめてしまうでしょうから、忘れてもらってよいのかもしれません。

美味しいパンを食べつつイーストのことを考える人はいないのと似ているでしょうか。しかし、縁の下の力持ちである「麹」、このことは折にふれ思い出して下さい。母なる麹なのですから。

このように縁遠い麹ですから、甘酒を自分で作る方も少ないと思います。甘酒のよいところも数ある飲みものに押されて影がうすいかもしれません。しかし甘酒は天然のぶどう糖と酵素を含み、身体の芯の疲れを養います。また副産物であるべったら漬を、〝高価すぎる〟と思いつつも買わずにいられない方は多いのです。

私もべったらを目的として、甘酒を仕立てる感がなきにしもあらずなのです。

寒夜の鍋もの、うどん、お粥さんをいただきながら、あつく切った薄甘いべったらをコリコリするのはなんと間のよいことでしょう。冬はこたつなどのおかげで、甘酒の作りやすい季節です。

「甘酒」の作り方には、色々ありますが、私が、ここでおすすめするのは麹だけで作る場合のものです。なぜならこれが最高、本来の姿と仙台の『天賞酒造』の杜氏《とうじ》から教えてもらったからです。米やもち米を合わせ用いるのは、経済上の理由によるものだそうです。

作り方

①　麴は麴の倍量の温湯（六〇℃）と合わせて、消毒した箸でかきまぜます。ほこりが入らぬよう蓋をし、湯煎にかけるか暖かい場所へ置くかして五五℃を保たせ、六時間ほど置く。保温状態が四〇℃以下になると雑菌が繁殖し、酸っぱくなるので要注意。
②　適当な醱酵状態になったら火にかけ、八〇℃で五分から十分加熱する。
③　熱湯消毒し、電子レンジでかわかした容器に移し、あら熱がとれたら蓋をして冷蔵する。①の状態のまま保存すると醱酵が進みすぎ味が変ってしまう。
④　好みの温度に水を加え、たえずまぜながら八〇℃以上にならぬよう注意して加熱する。中央に泡がよってきたら出来上がり。かならず、おろし生姜で、麴臭をやわらげて召し上がれ（尚、べったら漬の作り方は、私の著書『手づくり保存食』に詳細が書いてあります）。

昔々、逗子の町の夏の風物詩に「あま〜い、まったく（全く）」と呼ばわり歩く、甘酒売りの姿がありました。夏こそお腹を冷やさないようにとのことなのでしょうか。お茶屋さんも甘酒が定番でした。

麴との縁をむすんでおいて下さるとうれしい。

胡麻

「ひらけゴマ！」アラビアンナイトのアリババの洞窟の扉が、この呪文で開くところは何回読んでも心をひきつけられ、「ひらけ、ゴマ?」どうしてゴマなんだろうと思ったものでした。それにひらけという言葉も、最初の訳者以来ひらけのようですが、アラビア語には何か含みがありそうな気がしてなりません。

胡麻の故郷はアフリカ、サバンナの植生地帯と聞いて驚きましたが、その理由は、私共の胡麻は栽培種で、あちらには野生胡麻の大部分があること、又サバンナの風土が胡麻が育つのに最適であることから、胡麻の故郷をつきとめられたらしいのです。日本には従来仏教と共にと考えられていましたが、縄文後期の遺跡から栽培種子が発見されたりで見方を変え、これによると一万五千㎞の道のりを、五千年かかって到達したことになります。

胡麻が世界の国々で喜ばれ、重要に扱われているのは、やはりその養分と、短期栽培が可能なためと思います（ソバ七十五日、ゴマ三ヶ月）。胡麻の滋養の特徴は、単なる栄養でなく、医食同源的魅力だと思います。特に夏を無事に、つつがなく秋を迎えるために、夏の時分胡麻を上手に召し上がるとよいでしょう。

胡麻塩、胡麻むすび、これは御飯と胡麻のとり合わせですが、これを五倍も強化した故阿部なを先生の胡麻御飯をおすすめしたい。三カップの米に、黒胡麻三分の一カップ、上質の醬油小匙二杯程——以上が材料。黒胡麻は、中国産のものは極安ですが、是非是非国産でなければならないと思います（鎌倉『わ工房』、渋谷・東急にあります）。洗い胡麻とレッテルに表示してあっても、もう一度洗います。水嚢に入れ、さっと洗う。これを布でもみ拭きし、布を敷いた盆ざるに拡げます。時々天地返しもします。

洗った胡麻を厚手の油気のない鍋で炒ります。火加減は、中火であたためた鍋がさわれぬ程熱くなったら、火力を弱火にし、それでじっくり、二十分くらいかけて炒ります。決して苦くならぬよう。粒が三粒はじけたらと言ったものですが、昔々とは手加減せねばならぬようです。これを荒ずりにし、醬油をまぜます（醬油は以前御紹介したヒゲタの玄蕃蔵がおすすめ）。これを炊きたての御飯にまぜます。まっ黒な御飯になりますが、力強さを感じさせます。

私は二重鍋で梅干し一粒を投じて玄米を炊き、梅干しの分だけ醬油を減らして、胡麻飯をつくり、余分は軽く握って冷凍し、随時用います。外出して帰り、めぼしいお菜がなくても、これと美味しい沢庵でもあればこと足ります。

この胡麻飯は、老若男女、特に病人、高齢者、幼児、激務の人に食べてもらいたい。日曜のブランチは、あらかじめびんに用意した擂り胡麻で胡麻むすびを食べると、決めてはいかがでしょう……パンとサラダでなく。

私は胡麻を洗い、干して、炒る、この仕事は一ヶ月分まとめてやってしまいます。胡麻すりは、途中から二分し、御飯用はガラスびんに、擂り鉢に残したものは、胡麻だれに仕上げ、これもガラスびんに常備。気楽に油焼きした茄子、いんげん、ふだん草などを和え、瞬間的に一鉢ふやしています。先手主義で胡麻の用意があると、アリババの洞窟みたいと思います。

対談の章

足立大進／辰巳芳子
（臨済宗円覚寺派管長）

あだち・だいしん　昭和7年、大阪市生。花園大学卒、東洋大学大学院修了。臨済宗妙心寺派の寺で得度し、昭和44年、円覚寺専門道場の師家代行。55年から管長をつとめる。著書に「足立大進　仏心講話集」（春秋社）がある。

現代「味覚日乗」論

残るはカスばかり

辰巳　本日はお土産に梅肉エキスを持参いたしました。何かのときにお役に立ててくださいませ。

足立　ありがとうございます。一昨日、名古屋に行ってきたばかりですが、疲労や食あたり、下痢などに効き目のある梅肉エキスですから、またの旅行の折りに持たせていただきます。

辰巳　ところで、最近は台所仕事のお手伝いをしながら成長するといったことがなくなったためか、たとえば、料理教室で漉し餡を作らせたりすると、漉した汁を流してカスばかり残しておくような生徒さんもおいでです（笑）。

足立　お寺でもそうです。若い僧に、こういうふうにやるんだぞと教えて、後で様子をうかがいに行くと、残るはカスばかり。「漉したやつはどうした」と聞けば、「あれ要るんですか?」といった具合です。

辰巳　昔はいやでも台所仕事を手伝わされましたから、そういったことは自然と身についたものなのですが。

足立　いまの若い人たちは、台所の傍らで母親の仕事ぶりを目にして育ってはいません。それが致命的です。

辰巳　わたくしは料理を教えていますが、料理以前のこと、つまり、本来ならば理解していて当然のことを、あらためて教えるのは骨が折れます。

足立　台所で手伝いをさせるという教育はとても大切。それをしないから、漉し餡や梅肉エキスを作るとき、肝心な方を流してしまうようなことになります。

辰巳　いまの時代は一事が万事、そのような傾向にあるような気がいたします。わたくしが若い頃に勤めていた幼稚園の八十六歳になる現役の園長先生は、現在の子どもたちは子どもらしい絵を描けなくなった、黒板の前に立たせても片隅によく分からない記号のようなものを描くだけ。それはたぶん、マンション暮らしでお母さんがスーパーから買い求めてきた惣菜を広げて食べさせるような、自然とまったくかけ離れた生活をしているからではないか、姿形は子どもだが、まるで抜け殻みたい、そのうえ親にああしろ、こうしろと指図ばかりされ育っているので、親の意向を気にかけなくては何もできないとため息をついておりました。

足立　いまの雲水もそう。たとえば、雑草を抜くように言いつけておきますと、その個所だけは確かにきれいにしますが、不思議なほどそこ以外には手をつけません。畑に雑草が生えて作物の苗が負けそうになっても、黙っていては何もしてくれません。

辰巳　わたくしも庭に畑がありまして、生徒さんにあれ取ってきてと言いますと、喜んで収穫はして下さいますが、ついでに周辺の雑草を五本でも六本でもひっこ抜いておきましょうかという気持ちは全くないようです。

台所では魔法使い

足立　「台所での教育」は、台所仕事を通じて子どもに親への尊敬の念をいだかせるという意味からもないがしろにはできません。たとえば、お母さんが台所で芋の皮を手際よくむいたりトントントントン見事に刻むその手さばきは、子どもにはまるで魔法使いのごとくにうつるものです。そういった体験のないことが、親をバカにするような若者を育てるのです。

辰巳　若い生徒さんを見ていると、いまの管長のお言葉にあい通ずるものを感じます。わたくしなど、父親とは社会、世の中を代表する存在であるという意識をもっております。しかし、父親に対して友達感覚で接している若い人のなかには、社会を嘗めてかかっているな、自らの社会的な位置づけがなってないな、という印象を持つことも少なくありません。

足立　父親について申しますと、父親は相撲でもして小さいうちに子どもを投げ飛ばしておくことです。お父さんには、とてもかなわないという意識を植えつけることが大事なのです。そのうえ、いまの世の中は家業を継ぐのが当然だった時代とは異なり、父親はいったい何をして給料をもらっているのか子どもたちには分からない仕組みになっていることも親への尊敬の念を欠く理由に挙げられると思います。

辰巳　貴重な仕事ほどいま後継者が不足しているようです。実は、お土産に差し上げました梅肉エキスを作っているところでも後継者がおりません。

足立　お父さんの仕事は素晴らしいんだよという意識を、子どもの頃に植えつけられない時代になってしまいました。わたくしなど、親父は大阪で歯科医をしておりましたが、二階が診察室で、時々、母親が一階に下りてきて患者にお釣りを手渡すことがあって、それを見ていて、父は歯を治してやるばかりか、お金まであげるのか、偉い親父なんだと勘違いしていたくらいです（笑）。

台所仕事は年中無休

辰巳　台所は教育の場であるというお話がございましたが、一般の家庭だけではなく、禅のお寺でも掃除と台所を重んじられているとうかがっております。それは、なぜでございましょう。

足立　仏典のなかに、知能指数の低いお釈迦様の弟子の話があります。この弟子を皆がバカにするので、お釈迦様は箒を持たせて一所懸命に掃除をするように言いつけます。彼は言葉通りに掃除をつづけます。そして、ついに悟りをひらくのです。掃除を言いつけたお釈迦様の狙いもそこにありました。そのような話が基になって、掃除や台所の仕事が大切なものと考えられてきたようです。

辰巳　禅寺では、大勢の仲間のいのちを養う「典座《てんぞ》」と呼ばれる炊事担当が、非常に重んじられているとうかがっております。

足立　お釈迦様に掃除を言いつけられて悟りをひらいたというお話は、現代風に表現すれば、何事も偏差値で割り切ってしまうのではなく、誰にでも個性があって、それを伸ばすためには掃除もまた一所懸命にすることが必要なのであり、それがまた己を磨くことにもつながるのだということを意味しているように思われます。もっとも、最近では、お寺もモップ掃除に適応できるつくりになっておりますが（笑）。

辰巳　こちらでもモップをお使いですか。

足立　道場では使っておりません。糠袋で磨くようにしてあります。ただ、新しい、若い人は、暇があってもいたしません。古い人は暇を見出しては磨きます。

辰巳　修行に当たっては、上役にあたる方からの指示には従うようにといった決まりはないのですか。

足立　ございます。はじめは嫌々ながらでも、数年もつづけていくうちに嫌とか好きとかいった段階を越えて、一歩、先の境地へと進みます。

辰巳　最近では仕事なども次々と変える方が少なくないようですけれど、同じようなことが言えますね。

足立　石の上にも三年です。そういう我慢がなくてはいけません。苦しいこと、嫌なことを避けても、嬉しいことがふえるかといえば決してそうではない。

辰巳　同列に論じていいものかどうか分かりませんが、やはり近頃は、家事において面倒くさがり屋の女性がふえているように思います。もちろんその方の性分によるかもしれませんが。もっとも家事というものは際限がありませんから、解放されたいという気持ちは当然と言えます。

足立　台所仕事は年中無休ですからね。わたくしも老師にお仕えしていた当時は、朝食がすめば昼は何にしよう、昼食が終わりますと、夜は——といつも考えていたものです。たとえば、直前になって高野豆腐を使おうにもそれは無理な相談ですから、お料理の段取りには常に思いを巡らしていました。何事も、仕事には段取りがあります。これができない方に料理は作れません。最近のご婦人はものぐさになったという意見には、わたくしも賛成します。

精進＝自らを励ますこと

辰巳　愛情が希薄になったといいますか、情熱が希薄になったといいますか、そういう面がやはりあるのでしょうか。

足立　お茶をする女性に、お茶が上手になりたいのならまず恋人をつくりなさいと申します。つまり、好きで好きでたまらない人のためにお茶をいれてあげるのだということにな れば、稽古にも熱がこもるもの。お料理も同様で、やはり上手に作るには食べてもらう人への愛情が最も大切でしょう。愛情があるから親切にできるのであって、それが、いわゆる手塩にかけるということです。

辰巳　子どもたちは非常に敏感で、スーパーなどで買い求めてきた惣菜を母親が食卓に並べたりするのを見るとき、お母さんに愛されているんだ、慈しみをもって育ててもらっているのだという実感を持ちにくいようです。

足立　そのためにも台所での教育は必要なのです。子どもに手伝いをさせながら、これはこうすればおいしくなるのよと教えるとき、子どもは、自分は親に愛されているのだと敏感に感じ取るものなのです。

辰巳　たしかなことは申せませんが、非行少年のなかには、親が手をかけて作ってくれたお料理を食べることなく成長した子が多いといった話も耳にします。先ほどもお話にございましたが、台所仕事は年中無休。疲れたな、きょうはこれぐらいにしておこうかなと思うこともあるのですが、そこでちょっと自分を励まし励まし、作りつづけていくのが日常の食事というものだと思います。

足立　その自らを励ますということが、仏教でいうところの「精進」なのです。精進料理とは、何も魚や肉を使わない料理をいうのではありません。魚や肉が入っていないからと、袋から取り出して、レンジでチンすれば精進料理かといえばそうではない。精進料理とは、客をもてなすために一所懸命働く、馳けまわって作るのでご馳走なのです。

辰巳　おっしゃるように、自分で自分の尻をたたいてやらないと、ほんとうのいのちの養いとなる料理はできません。

足立　手塩にかける、こころを込めるとはそういうことでしょう。うまい、不味いではなく、いい子に育ってほしいという母親の願いがスパイスされているかいないかということです。もっとも、子どもに対しては無条件にそれが可能でも、旦那さんに対しては尊敬の念がなければ台所仕事は苦痛になるのではないでしょうか。

辰巳　それは長い間、日本の社会、家庭の、女性のつとめに対する感謝の念が希薄だったことにも原因があります。

足立　男性はいま、そのツケを払わされているということになりますか（笑）。

愛する者のためのサーヴィス

足立　それにしても、いまの奥様がたのなかには、旦那さんが会社で汗水流しているときに、仲間と鎌倉あたりを歩いておいでになる方も少なくありません。そして、高価なお料理を召し上がり、帰りにはコロッケかなにかのお惣菜を買ってお帰りになる（笑）。それもまたツケのうちかもしれませんが。

辰巳　正直に申しまして、よく暇があるなあと感じないわけでもありません。その一方、みなさん年に一、二度のことなのだなという気もいたします。

足立　先日、お寺の奥さんが友達に誘われてニューヨークへ遊びに行かれた。女房をもらったらお金のかかる時代になりました（笑）。それだけいい時代になったのかもしれませんが、お料理は、いつの世にも愛する者に奉仕しようという気持ちがその基本ではないかと思われます。既にお話ししましたが、味のよしあしではなく、夫に対しては妻として、子に対しては母親としての〝願い〟のこもったお料理です。

辰巳　その願いの中身が、勉強しろとか、いい学校に入れとか、妙な具合になっているようにも思います。子どもというのは、決しておろそかにできない存在です。甥の赤ん坊がやっと口をききはじめたころのことですが、古いパンで作ったプリンの型をたまたま目にして、「叔母ちゃん、ぼくが来ること分かってて、それ、作ってくれたの？　ありがとう」

って言ってくれ驚いたことを思い出します。子どもとは、自分のために作ってくれたものであるのかどうか、毎日の食事を通じて、愛情をもって育ててもらっているのだなという実感や自分に対する親の願いの濃淡を感じとるものなのです。それがまた親との絆を強くも弱くもするものだと思います。

足立　そうした心のふれあい、つながりが今の世の中には欠けています。学校から帰ってきた子どもが一人で冷蔵庫から勝手に何か取り出して食べるだけでは親子の会話は成り立ちませんし、絆も深まりません。料理は愛する者への奉仕の念がその基本と申しましたが、台所仕事がほんとうに楽しいものになるためには、子どもだけに限らず食べてくれる側の愛情も必要になります。

地球全体を視野に

辰巳　食を通じての家族のふれあいや絆が薄くなる一方でグルメという言葉がもてはやされたように、一見、食は豊かにバラエティに富んでいるかのような印象を受けますが、では実際にはどうなのだろうと考えてみるとき、たとえば、食材にしても世界の状況は危機に瀕しているように思います。NHKのある番組で、魚の雄の精子がとても減少している問題を取り上げておりました。雄を下水の排水口に放しておいたところ、二十日ほどで精のうが萎縮してしまったことも伝えておりました。下水に含まれる化学物質が影響してのことですが、地球規模で自然環境について考え、現在の日本人の暮らしぶりに、どこかでストップをかけなければ大変な事態になるように思います。

足立　日本人はいま、世界のマグロの漁獲量の六割から七割を胃袋に収めています。ほかの魚を含めますと世界の漁獲量の半分以上を日本人が食べている勘定になります。その一方、放流しすぎた鮭が川にあふれ困っているという現実があります。

辰巳　きちんと食べるのならまだしものこと。

足立　食べきれなくて捨てているんです。

辰巳　日本人の食べるエビを育てるために東南アジアの海は荒廃しているそうです。エビを買いつける商社の人々にも考えてもらわなくては。

足立　そのうち日本は世界から嫌われます。なにごとも、儲ければいいのだという思惑からそのような事態になる。魚にかぎっての話ではありませんが、必要な分だけ手に入れるという方向に社会のありかたを切り換える方策を真剣に考えなくてはなりません。この時代、地球全体を視野に入れて物事を考えるのが政治家のつとめだと思う。

辰巳　あるアメリカ人は、石油製品が使用されなくなれば産業界に大変動が生じるかもしれないが、それでもなおその動きを止めなければ地球の生態系は狂ってしまうと心配しておりました。

足立　人類の未来を憂えるならば、まさにそのような問題を真剣に考えなくてはなりません。

辰巳　宗教家のお立場から、そのようなことを声を大におっしゃってはいただけないのでしょうか。

足立　わたくしは言いすぎまして嫌われているほどなのですが（笑）。たとえば、買い物には籠でも風呂敷でも持参すれば事足りるはずなのに、すべてビニール袋。もったいないなと常々思うのは、パンです。パンを種類別に一個ずつ袋に入れる必要などあるのでしょうか。

辰巳　それはダイオキシンの源を減らす、的確な第一歩ですね。

失われた心と躾け

足立　ある新聞に、小さなお店で三個、卵を買い求めたところ、きちんと新聞紙にくるんでくれた、年寄りの家庭にはスーパーで販売しているような十個入りのパックなど必要ないといった内容の投書が掲載されておりましたが、新聞で包んでくれるときに世間話などできるのがまたよろしいのです。スーパーではパックに入ったものをピッピッとするだけです。いまの世の中では、お風呂にしたところで湯加減は機械が調節してしまいますから、湯船につかっている人に熱くはありませんかなどとたずねる心配りも必要なくなりました。薪を燃やしていた昔ならば、後から入る人のことを考えて湯加減をあれこれ思いやったものです。機械が、コミュニケーションを鎖しているように思います。

辰巳　たしかに、駅員さんとの会話がなくても切符の買える時代ですからね。便利さは、反面、失うものもあります。

足立　会話だけではなく返事すらしない子どもがふえています。兄弟のたくさんいた昔と違って、子どもの数が少なくなりましたから返事をしなくても用が足りるのです。たとえば、学生に草取りをしてもらい、そこが終わったら、こちらもやってと声をかけても、体は動かしても返事はありません。

辰巳　それはちょっと不気味ですね。

足立　最近は、返事をするとか、あいさつをするとかいった家庭での日常の躾けがございません。「はい」と答えず「うん」と返事をする女性がふえて、言葉そのものにも女性らしさが薄れてしまいました。

辰巳　以前なら、「いただきます」や「ごちそうさま」がなければ、御飯も食べさせてはもらえませんでした。箸の上げ下げにも躾けがありました。年に一度、秋田県の有名温泉に湯治にまいりますが、そこで気がついたのは、食事の前に手を合わせていただきますを言う方がどなたもいないことです。湯治客のなかには周辺の農家、そして食事がきちんと身につかなければならない難病を患っておいでの方も少なくないのです。

足立　終戦後、日本人は日本人の心を失ってしまいました。それが躾けのできなくなった最も大きな原因です。そういう意味では、アメリカの占領政策は成功したといえるのかもしれない。

慎みの根源は「ご縁」「お蔭」

辰巳　いまひとつおうかがいしたいのは、人間としての「慎み」、その根本はどこにあるのかということです。食に携わる者として、人間が食べ物に関しての慎みを取り戻さないことには、二十一世紀はとても不安です。

足立　己の存在とはどのようなものであるのかを見つめ直すことが肝要であり、それが根本だと思います。つまり、己というものは決してひとりで成り立っているのではなく、多くの「ご縁」と「お蔭」によって生かされている存在なのだ、という考えに人間が立ち返ることができるかどうかにかかっています。キリスト教ではこれを「回心」(かいしん)といい、仏教では同じ文字を書いて「えしん」と申します。そんな大事なことをなぜ学校では教えないのだとおっしゃる方もおいでですが、日本の家庭には本来、どこにでも神棚や仏壇がありましたから、朝はまず仏壇に御飯を供え手を合わせるといったことが親から子、子から孫へと受け継がれ、「ご縁」「お蔭」といった意識が自然に培われていたものなのです。若い十代でこの回心の体験を得るとすばらしい人生を送ることが出来るのですが。

辰巳　ところが核家族化、都市化が進んでお仏壇などない家庭がふえてしまいました。

足立　戦後の〝家庭の崩壊〟が日本を妙な具合にしてしまったのです。そこから、笑うに笑えない話も生まれます。別居している孫がおばあちゃんの家に遊びにきたとき、お仏壇にお土産のお菓子箱を供えるおばあちゃんの姿を目にした孫が、「おばあちゃんの家のおやつ置場は立派やね」と言ったというのです(笑)。逆に、舅姑とともに暮らす二歳の子は、曾祖母が仏壇に手を合わせる姿を見るうち、横に並んで一緒に「お蔭様で」と手を合わすようになり、若い母親はもし別居してたら夫婦だけでこんな教育は出来なかったとお年寄りに感謝しております。この子の場合、成長し困難にぶつかるようなことがあっても、ビルの屋上から簡単に飛び下りるようなことはないはず。父母をはじめ多くの人々の「ご縁」や「お蔭」により生かされているのだということを知っているからです。そのあらゆる「ご縁」や「お蔭」のトータルを象徴する存在が、ゴッドであり、阿弥陀様であり、観音様になります。

辰巳　世の風潮をあれこれ目にするにつけ、日本人の慎みの根源はどこにあるのか、あれこれと思いめぐらしておりましたが、管長のお言葉に得心いたしました。心に残るよいお話を感謝いたします。

あとがき

昭和六十三年春、「かまくら春秋」にこれを書きはじめた時、かまくら春秋社の伊藤玄二郎さんが「味覚日乗」と題されました。

日乗とは、平凡気な日常を書き重ねるという意味です。料理し、日々を養うことにふさわしい題だと軽く思いました。

書き終えて気付きますのは、この題が、激しくめまぐるしい時代感覚の推移の中で、目減りせず、重厚に九年の年月と、百回の項目をささえたことです。

なくて七癖と申します。人の視点も同様でこの範囲を中々こえられません。

私のつたない視野によるものを、鎌倉の皆様がよく読みつづけて下さったと感謝しております。

読んでいて下さる気配にどれ程ささえられたことでございましょう。

書きつづけつつ見つめていたのは、食べものをつくること、正しいものを食べることで仕上がってゆくはずの人間の幸せでした。

それは、母乳の安全に始まり、一日五食でもお腹に納まってしまう食べ盛り、あらゆる無理を外食で凌がねばならぬ壮年期、シルバーグレイ夫婦のさし向いの食事、やわらかく咽越しのよいもののほしい高齢の日々、きざみ食・ミキサー食等の命を終えゆく一期一会の食べものの問題等々でございました。

これらを一々とり上げたわけではありませんが、全篇、この思いに関わっているはずでございます。

現今、食まわりの問題は多様で市井の者の手のとどかぬところで操作されております。巨大な力にさらされるのは、歴史の中でつねに弱い者です。

学校給食のパンの安全の保証。

きざみ食、ミキサー食が待ち遠しい食べものとなる遠い日。

これらを忘れたことはありません。

終わりに、読者の皆様が、あたりまえの日々の食事を、美味しく、楽しく、生涯召し上がれることを祈ります。

九年間、毎月写真でお手伝い下さった写真家の後勝彦さん。かまくら春秋社の田村朗さん、田中愛子さん、関彌生子さんに厚く御礼申し上げます。

平成九年　九月

文庫版あとがき

親娘で「いのち」への願いを持って「たべもの」とかかわってまいりました。たべものを、つくるべきようにつくることでのみ仕上がってくる人間の境地。そうしたたべもので養われることでのみ培われる魂の質。

約百年の流れの中で、気付いたことを、おぼろげながらでも、言葉にしたいと願いつつ、筆をすすめました。「食」という一見あたり前に見える事柄から、その境地、その質を語り起すのは、独特の作業を必要とするものです。

時にまぐれ当りでぴったり、水源にゆきあたっているところもあるかと思います。

かまくら春秋社は、九年の長きにわたってよく面倒を見て下さいました。

その間も出版後も、伊藤玄二郎さんが名づけられた「味覚日乗」という、かっちりした表題が、時代を超えて、内容をささえていると思います。その見識に改めて感謝いたします。

今回、筑摩書房が、人生の日常性の大事に感じ入られ、広く普及することを望まれました。嬉しいことでございます。

かまくら春秋社から刊行して五年。食材の分野で、私が良いと思うものも、変化いたしましたので、その部分について、本文に訂正を加えました。今回の文庫化に当たり、文中に挙げました食材と、その入手先を左記にまとめます。なお、私が選んだ食材を置いている「辰巳芳子の味」というコーナーが、渋谷の東急デパート本店・東横店にございます。渋谷・東急とあるものは、そちらでもお求めになれます。一部のものは同店の、インターネットショップにも出ておりますので、東京以外の方にもご便利かと思います。食材を選ばれるときのご参考になさってください。

米　完全無農薬米「ぶなのめぐみ」　渋谷・東急

塩　粟国の塩　渋谷・東急

醤油　「玄蕃蔵」（限定製造・五月初旬に申込受付）ヒゲタ醤油
（０３―３６６９―１４４１）

薄口醤油　「紫大尽」大久保醸造店製　鎌倉「三留商店」（０４６７―２２―００４５）、

渋谷・東急
みりん　「本みりん」白扇酒造製　渋谷・東急
甘口地酒　「高砂」　熊本・東酒造（０９９―２６８―２０２０）、
鎌倉・「三留商店」
赤ざらめ　喜界島産　渋谷・東急
酢　備前の玄米酒酢
梅酢　無農薬赤梅酢　和歌山県・龍神村自然食品センター（０７３９―７
８―２０６０）、渋谷・東急
八丁味噌　岡崎「角久」の豆味噌　渋谷・東急
善光みそ　「まごころ」　渋谷・東急
手づくり味噌　大分・森下フク（品切れの場合あり　ＦＡＸ０９７
―５８８―０８０８）
オリーブ油　「ウ・トラピトゥ」　渋谷・東急
白玉粉　「志ら玉粉」種利商店製　鎌倉・「三留商店」、渋谷・東急
玉子　群馬・藤井正雄（お待ちいただく場合あり　ＦＡＸ
０２７９―５６―２９１９）
豆腐・豆腐加工品　京都・久在屋（０７５―３１１―７８９３）

黒胡麻　鎌倉・「わ工房」（０４６７—２２—０４４８）、渋谷・東急
つくね芋、各種豆類　鎌倉・「石渡商店」（０４６７—２２—５２４４）
はす蒸し用の蓮根　金沢の近江町市場から宅配で取り寄せ
牡蠣　宮城県沖のものを　塩釜・松木かき店（０２２—３６３—１３３１）
スーパーミール　北海道・プラザホテル板倉（０１６４２—３—２１２１）、渋谷・東急
ビクトリア種の苺ジャム　鎌倉・「わ工房」、渋谷・東急
・付
梅肉エキスを作るおろし金　ジャパンポーレックス（０７２７—２４—０２５０）
生姜の泥を洗うブラシ　浅草・藤本虎（０３—５８２８—１８１８）

平成十四年三月

辰巳芳子

解説

藤田千恵子

「たとえ私が人間と天使の言葉を話しても
愛がなければ、鳴る青銅と響きわたるどらにひとしい」

ミもフタもないことを言われているようだが、これはれっきとした『聖書』の言葉（コリント人への第一の手紙）なのである。

そこに愛がなければ、どんな知識も心得も、すべてが銅鑼の音になってしまう。そう気づかされたのは、この辰巳先生の本をひもといてからである。辰巳先生といえば、「鎌倉にお住まいの料理研究家」と認識される方が多いことだろうと思う。私もそうだった。個人的なことを言えば、まず、私にとっては、「サトイモの恩人」であった。それを食べるのは、大好き。だが、泥だらけで、洗ったあとはぬるぬるとすべり、包丁で手を切りそうになり、挙句の果てには手がかゆくなる。その扱い難いサトイモを易々と剝いていく方法を教えてくれたのは、由布院「玉の湯」の山本料理長であったが、その山本料理長が、そもそも薫陶を受けたのが辰巳芳子先生であったという。そのサトイモの剝き方もこの本には記されているが、むろん、この本は、料理指南のみの本ではない。春、夏、秋、冬、巡る季節と共に語られる、食を囲むことの喜び。温かで、時に哀切、さまざまな思い出を読み進むうちに、思い至った。辰巳先生は、料理研究家と呼ばれる、しかし、愛情について綴る随筆家なのである。

「料理は、愛情」。これに類する言葉は、巷に溢れてはいるけれども、それは、耳に慣れ切っているあまりに、かえって、心に届かない言葉となっていることもある。しかも、同じ言葉であっても、誰が口にするか……で、違うのだ、届き方が。不思議なことだが、身体言語とでもいおうか、実感として身についている言葉なら胸に響き、届く。身についていないと、言葉は目の前を、耳の傍らを、ただ通り過ぎていくだけだ。辰巳先生の言葉が私たちの心にまで届くのは、「心を手足に添わせ」日々の仕事を続けてきた人ならではの「実感」から発せられた言葉だからだろう。そして、その言葉の根底には常に、「愛されてきた者としての記憶」が脈々と流れて、それが私たちの心を打つのである。

たとえば、春。雛祭りと共に語られる、幼き日の思い出。若い親たちの心尽くし。「自分に良きことを願う、大人達の心を子供が感じとらぬことがあるでしょうか」。そして、夏。冷たいビールと空豆、枝豆の熱々。キリキリと冷たい塩らっきょう。「愛につられて」父親の喜ぶ酒肴を「何でもあるわよッ」の心意気で準備していた母の姿。そして続く次の章では、手作りのトマトジュースのレシピ。だが、しかし、この章では、保存食を作る、というその心の深淵までが描かれて、この章を読み返すたび、私は目頭が熱くなる。トマトジュースのレシピで読者を泣かせてしまうのは、古今東西の料理研究家では髄一、辰巳先生だけなのではあるまいか。

この本で折りに触れ語られる母君とは、ご存知の方も多いかと思うが、料理研究家の辰巳浜子先生である。昭和三十二年に上梓された『手しおにかけた私の料理』の序文で、浜子先生は「明け暮れつくり、そして食べなければならぬ家庭料理は、栄養、経済、美味、衛生が絶対必要です。それは、細心の注意と、たゆまない努力と、深い愛情の積み重ねを、日々の生活に忠実に行う以外にはないものと思います」と記している。端正で読みやすい文章だが、同時に、日々、台所に立つ読者一人一人が、やすやすと読み飛ばすことのできぬ迫力に満ちた文章でもある。なぜならば、家庭料理を作り続けることは、単なるルーティンではなく、愛情という礎の上で行われる、「たゆまぬ努力」だということがはっきりと書かれているからだ。料理とは、決意も努力も必要とされる日々の仕事なのである。

その仕事と心を浜子先生から受け継いだ芳子先生が語る台所仕事のあれこれ。それは、日々繰り返される営みではあっても、安逸なことではないという実感を伴っている。それゆえに「背負い込み感のないように」「少しの気力で想いを手足に通わせる呼吸もこんな時、ふと、身につくものです」という、女性たちへの（男たちへも）労わりに満ちた言葉が随所に出てくるのだろう。

人は、台所に立ちたくないこともあるのだ。仕事や家事や育児で心が追われるときも。そして、また、何も食べたくないほど疲れるときも。そのこともまた、先生は、よくご存知なのだと思う。だが、そのうえで、「今日もちゃんと台所に立とう」という気持ちをこの本は、奮い立たせてくれる。

「人が愛ゆえに、作ったり、食べさせてもらったりする日々。過ぎてしまえばなんと短いことでしょう」。

この言葉が私に届き、もはや、離れないからである。

本書は一九九七年十月十六日、かまくら春秋社より刊行された。

ちくま文庫

味《み》覚《かく》日《にち》乗《じょう》

二〇〇二年五月 八 日 第一刷発行
二〇〇五年 一 月三十日 第四刷発行

著 者 辰巳芳子（たつみ・よしこ）
発行者 菊池明郎
発行所 株式会社 筑摩書房
東京都台東区蔵前二―五―三 〒一一一―八七五五
振替〇〇一六〇―八―四一二三
装幀者 安野光雅
印刷所 株式会社精興社
製本所 株式会社鈴木製本所

乱丁・落丁本の場合は、左記宛に御送付下さい。
送料小社負担でお取り替えいたします。
ご注文・お問い合わせも左記へお願いします。
筑摩書房サービスセンター
埼玉県さいたま市北区櫛引町二―六〇四 〒三三一―八五〇七
電話番号 〇四八―六五一―〇〇五三

ISBN4-480-03720-9 C0177